トガリ山のぼうけん④

空飛《と》ぶウロロ

いわむら　かずお

理論社

もくじ

1　どっこい山ネコ　10
2　やあまあねえ　18
3　さわがにサワガニ　28
4　一人前のギンネズミ　38

5　ギンネズミの道　52
6　ぐるぐるまわるまわり道　72
7　まよいさまよい月のよい　90
8　ムササビのウロロ　112
9　空飛《と》ぶウロロ　134

こんやも、トガリィじいさんのへやにやってきたのは、三びきのトガリネズミの子どもたちだ。名前は、キッキにセッセにクック。近くに住む、トガリィじいさんのまごたちだ。みんな、トガリィじいさんの話が大すき。

「よぉし、トガリ山のぼうけんの、つづきをはじめよう」

トガリィじいさんが、じょうきげんでいった。

「うれしいな、トガリ山のぼうけん！」

キッキがさけんだ。

「やったぜ」

セッセが、パチッとゆびを鳴らし

た。

「キノコがローンの話！」

クックが、目をかがやかせた。

「その話は、もうきいたろ」

セッセがいうと、

「じゃ、うたうキノコ、わらうキノコの話！」

クックが右手をつきあげた。

「それも、もうきいたじゃないか」

セッセが、口をとがらせて、クックをにらみつけた。

「じゃあ……」

クックが、てんじょうを見あげて考えていると、

「つづきっていうのは、きのうきいた話の、その先の話っていったでし

よ」

キッキが、まるでおかあさんみたいにいった。

「ふむ、クックは、キノコの話が気にいったんだな。おもしろかったところは、またこんどきかせてあげるからな。さて、ゆうべはどこまで話したかな」

トガリィじいさんは、にこにこしながら、三びきの顔を見まわした。

「白いキノコの行列《ぎょうれつ》についていくと、うたうキノコや、わらうキノコがでてきた」

「わらうキノコの行列のうしろから、あいつがついてきたんだ」

「ゲへ、ガハと、わらいながらつい

てきた」

「あいつ、フクロウにおそわれたんだ」

「雷《かみなり》が鳴って、キノコたち、天にかえっていった」

「キノコたち、流《なが》れ星《ぼし》みたいだった」

キッキとセッセが、かわるがわるいった。

「おじいちゃん、のびちゃったんだよ」

クックもまけずにいった。

「そうそう、わしが気がついたときには、もうキノコのすがたはなかった。黒い森の上に、くっきりと、トガリ山が見えていたんだ」

トガリィじいさんが、じっと遠《とお》く

を見るように、てんじょうを見あげた。

「ねえ、それで、あいつはどうしたの」

キッキが、むねの前で両手《りょうて》をにぎりしめていった。

「ね、ね、ね、あいつ、死《し》んじゃったの」

クックが、トガリィじいさんのひざをたたいた。

「おれ、あいつは、死んではいないと思うな」

セッセが、ちょっと顔をくもらせて、つぶやいた。

「ね、それからどうしたの。あいつのこと、はやくおしえて」

キッキが体をゆすると、

「はやく、はやく」

クックが、また、トガリィじいさんのひざをたたいた。

「わかった、わかった。それじゃ、ゆうべのつづき、トガリ山のぼうけんの話をはじめるとしよう」

トガリィじいさんは、鼻《はな》をひくひくと動《うご》かして、めがねにちょっと手をやった。

1　どっこい山ネコ

山道はまた森の中に入った。キノコの行列《ぎょうれつ》も雷《かみなり》も天にかえり、森はしずまりかえっていた。高くのぼった月は白くかがやいて、木の葉《は》のあいだから、光のしずくをおとしていた。

しばらくのぼっていくと、きゅうながけにつきあった。木の太《ふと》い根《ね》っこやほそい根っこが、土からうきあがり、はしごのようにならんでいた。わしは、根っこにとびついたりしがみついたりして、がけをよじのぼった。

やっとがけの上までたどりついて下をのぞくと、くらがりの中に、だれかのけはいがする。はっとして体をひっこめたとき、カロリンとすずが鳴った。

あいつだ。フクロウにおそわれ、ギャオーッとさけび声をあげて、それきりすがたが見えなかったけれど、あいつ、生きていたんだ。

あいつは、がけをのぼってくるようだ。わしは、がけの上の太い根っこの下にもぐりこんだ。

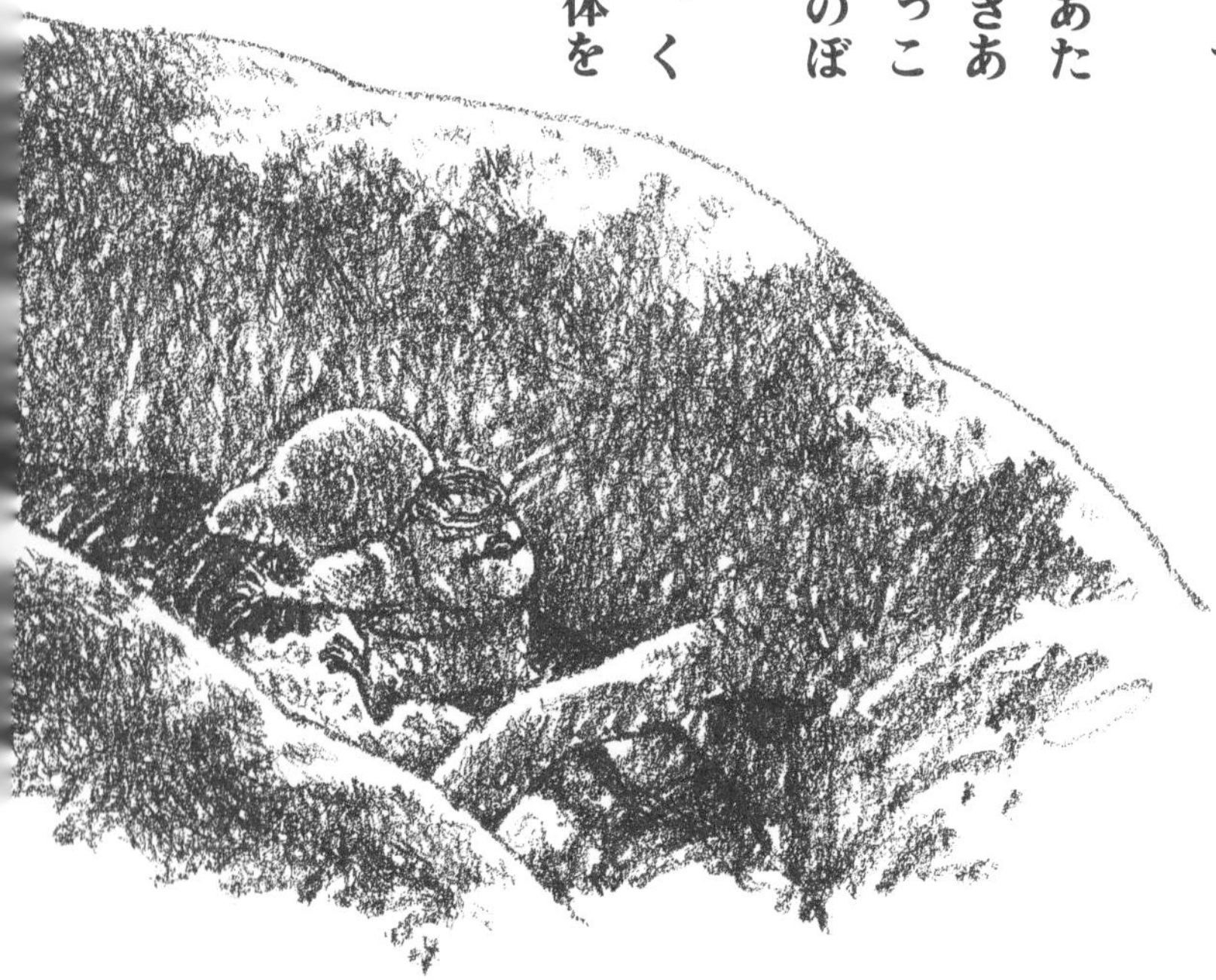

カロン　カロリン
あいつの音がゆっくりとのぼってくる。

「山ネコ、どっこい」

カロン
「山ネコ、よいしょ」

カロリン
あいつは、まるで年寄《としよ》りみたいに、かけ声をかけながらのぼってくる。

「どっこいヤマネコ?」

背中《せなか》でテントの声がした。ねむりかけていたテントが、目をさましたらしい。

「シーッ、あいつが、のぼってくる」

「のぼってくる?シーッが?」

テントはねぼけている。あいつにきこえたらどうしよう。「シーッ」ともう一度《いちど》いって、わしは、そっとリュックをゆすった。

あいつの音がとまった。

「だれ？」

あいつがいった。わしは根《ね》っこの下で体をまるめた。

しずけさが、わしの両耳《りょうみみ》を、おしつぶしそうになる。

あいつが、がけのとちゅうで、きき耳をたてているのがわかる。

まるで時間《じかん》がとまったみたいに、あいつも、わしも、まわりの草も動《うご》かない。

すると、かすかな音をたてて、かれ葉《は》が一まい、根っこのはしごをつたって、がけをおちていった。

「かれ葉か……」

あいつが、ほっとしたようにつぶやいた。

「山ネコ、どっこい」

カロン

あいつはまた、がけをのぼりはじめた。

「山ネコ、よいしょ」

カロリン

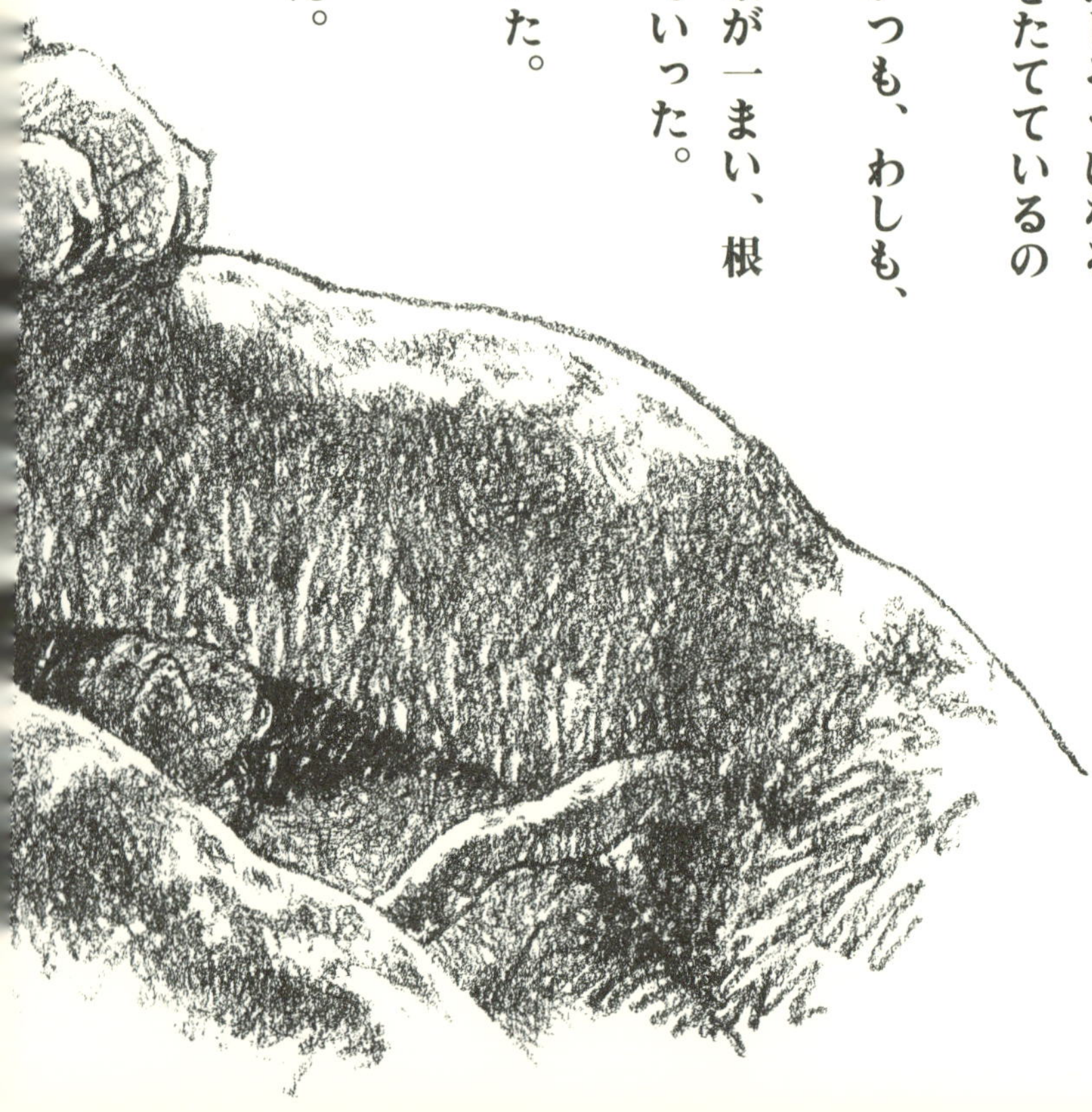

あいつの声は下からゆっくりのぼってきて、わしの頭の上でとまった。わしたちがかくれている根っこの上に立って、ひと休みしているのだろうか。それとも、わしたちに気がついたのかもしれない。わしは、じっとしたまま耳をすました。テントもリュックのポケットの中で、だまっている。

「なぜ、かれ葉はおちる……」

あいつがつぶやいた。あたりのようすをうかがっているのだろうか。

「かれ葉は、ひとり、えだをはなれ、
かれ葉は、ひとり、月にまう。
なぜ、なぜ、かれ葉はおちる」

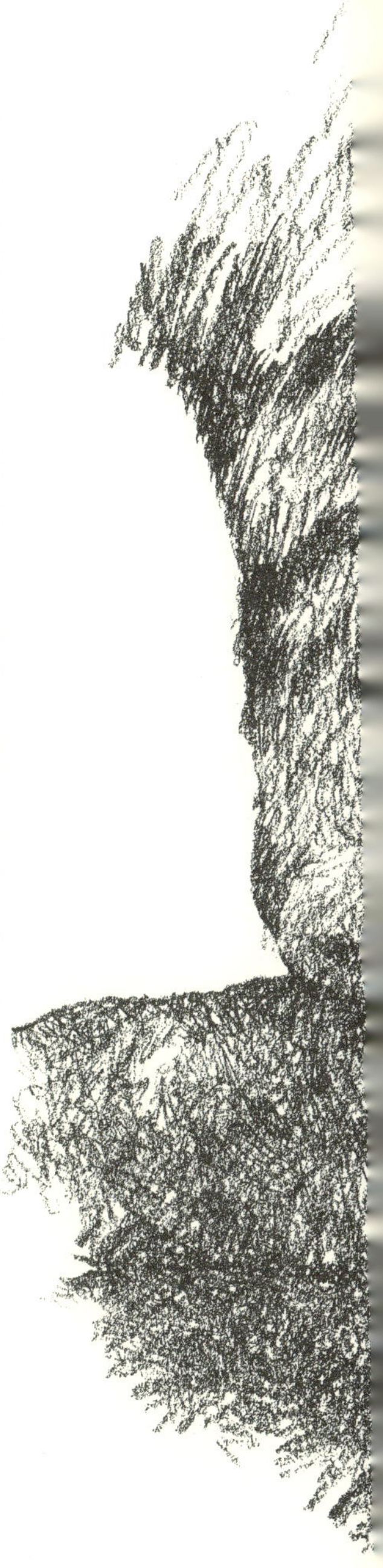

小さな声でひとりごとをいうと、

「どっこい、山ネコ」

とかけ声をかけて歩きだした。

カロン　カロリン
あいつの音はだんだん遠《とお》ざかって、やがて、きこえなくなった。

「あいつ、行っちゃったよ」

わしが、リュックをゆすってあいずをすると、

「行っちゃった、あいつよ」

テントが、ねむそうにいった。

ほっとすると、わしのおなかの中に、スースー風が吹《ふ》きぬけはじめた。これはいけない、なにか食べなくては。わしは、道ばたのおち葉《ば》をひっくりかえして、においをかいだ。いるいる。しめったおち葉にはさまって、ミミズがいねむりしていた。あわててにげだそうとしたところを、両手《りょうて》でつかまえてかみついた。

「どうした、トガリィ、なにしてる」

テントが、リュックのポケットの中で、ゆれながらいった。

「ごめん、ごめん。ちょっと、はらごしらえ」

わしが、口をもぐもぐさせながらいうと、

「はらごしらえ？ごめごめちょっと？」

テントも、口の中でもぐもぐといった。

2

やあまあねえ

きゅうなのぼり坂《ざか》がゆるやかになってくると、山道が広くなった。道のまん中に、太《ふと》いブナの木が一本立っていた。ブナの木をすぎたところで、道がわかれていた。一、二、三、四、五、かぞえてみると、わかれ道は五本もある。

さて、こまった。トガリ山へ行く道は、いったいどれだろう。わしは、ブナの木の下に立ちどまって考えた。

すると、またあの音がきこえてきた。

カロン、カロリンという、あいつの音。先に行ったはずのあいつが、まだそのあたりにいるらしい。わしは、ブナの木のうしろにまわって、根《ね》っこのかげから、そっと、ようすをうかがった。

あいつが、右から二番目の道から顔をだした。

「あれ、ここはさっきの、わかれの広場《ひろば》」

あいつは、そうつぶやいて、あたりをキョロキョロ見まわした。

「一番目のわかれ道、
行ってみればいつのまに、
二番目の道からあともどり、
もとにもどった、もどかしさ」
あいつは、ぶつぶついいながら、
三番目の道をのぞきこんで、
「この道は、どこへ行くのか、わかれ道。
わかれといってもわからない、はて？」
とひとりごとをいって考えこんでいる。
そのうち、カロンとすずを鳴らすと、
「ま、よいか……」
といって、三番目の道へはいっていった。
「ま、よいかと、わかれ道。
行ってみれば、まよい道？」
カロリン
あいつの音は、しばらくしてきこえなくなった。
「テント、どうしよう。どの道をいったらいいのか、

わからないんだ」

テントはねてしまったのか、だまっている。

うでぐみをしてなにげなく上を見ると、木の上にだれかがいるのに気がついた。くらがりではっきりしないが、二ひきの小さな動物《どうぶつ》が、ブナのえだにさかさにぶらさがって、じっとこっちを見ている。

「そこにいるのは、だれ？」

わしがいうと、テントがおどろいて、

「だれ？」

と、リュックのポケットの中で、ごそごそ動《うご》いた。

二ひきの動物は、まんまるい目で、じっとわしを見つめたままだ。

「だれ？」

わしがもう一度《いちど》いうと、

「やあまあねえ」

二ひきの動物は、
かん高い声でどうじにいった。

やあ、まあ、ねえ……。

ヤマネだろうか。

わしはそれまで、ヤマネを近くで見たことがなかった。

「まあ、やあねえ？」

背中《せなか》で、テントがきみょうな声をだすと、二ひきの動物は、

「やあまあねえ」

と声をそろえ、鼻《はな》のわきに広がったほそいひげを動かして、こたえをくりかえした。やっぱり、ヤマネのようだ。

「やあねえ、まあ？」

テントがまた声をだすと、二ひきのヤマネは、

「やあまあねえ、やあまあねえ」

と体をゆすった。

「やあやあ、まあねえ？

まあまあ、やあねえ？」

テントがいうたびに、ますますますこんがらがってしまう。

二ひきのヤマネは、どうじにひょいと体をまわすと、えだの上に四つんばいになり、まるい目を三角にして、わしをにらみつけた。

こんどは、たてにのびたほそいえだにとびうつって、

「やあまあねえ、やあまあねえ」

と、ますます声を高くしてくりかえした。

「ねえまあ、やあまあ？

まあやあ、ねえやあ？」

テントはおもしろがって、リュックのポケットの中でさけんでいる。

「ところで、トガリ山へのぼるには、どの道を行けばいいんだい」

わしがきくと、二ひきのヤマネは、顔を見あわせて、

「やあまあねえ」

と、どうじにつぶやいた。

「一番右の道？」

わしがゆびさすと、二ひきのヤマネは、ゆびを一本ずつだして、

「やあまあねえ、やあまあねえ」

とささやきあって考えている。

「じゃ、二番目の道は？」

わしがいうと、二ひきのヤマネは、どうじにかた手を頭にやって、

「やあまあねえ、やあまあねえ」

とつぶやきながら、しきりに考えている。

「じゃ、三番目の道は?」

二ひきのヤマネは、こんどは両手《りょうて》を頭にやって、

「やあまあねえ、やあまあねえ」

と首をかしげている。

「じゃ、四番目の道は?」

わしがつづけると、二ひきのヤマネは、両手をむねにやって、

「やあまあねえ、やあまあねえ」

と目玉を空にむけて考えた。

「それじゃ、五番目の道はどうなのさ」

わしが、すこし声を大きくしていうと、二ひきのヤマネは、くるんとどうじに体をまわして、さかさまになって、

「やあまあねえ、やあまあねえ」

と、たがいに見つめあった。

なにをきいても「やあまあねえ」で、なにがなんだかわからない。

「ほんとは、道、しらないんだろ」

わしがちょっとおこっていうと、二ひきのヤマネは、あわてて小えだのうしろにかくれて、

「やあまあねえ、やあまあねえ」

と、やっときこえるぐらいの小さな声でつぶやいた。

二ひきのヤマネは、そのまま
いつまでも体を動《うご》かさずに、
じっとわしを見つめていた。

3

さわがにサワガニ

一番目のわかれ道は、二番目の道からあともどり、とあいつがいっていた。一番目の道を行くと、二番目の道からもどってきてしまう、ということなのだろう。三番目の道を行けば、またあいつにであってしまうかもしれない。

「四番目の道か、五番目の道を行ってみようか」

わしがいうと、

「みようか」

背中《せなか》でテントのねむそうな声がきこえた。

「どっちにするか、ぼうできめよう」

わしは、山道におちていた小えだをひろって、地面《じめん》に立てた。

「右にたおれたら、四番目の道。左にたおれたら、五番目の道」

わしが目をつぶって、手をはなすと、ぼうは右にたおれた。

わしは、四番目の道の入口に立ってのぞきこんだ。

おいしげった背《せ》の高いササの中に、ほそい山道がつづいている。

「よし、この道を行くぞ」

わしは歩きはじめた。テントはだまっている。ねむってしまったようだ。

太《ふと》い木が、ササのしげみの中に根《ね》をおろし、黒ぐろとえだを広げていた。えだのすきまから空がのぞいていて、月の光をうけた白い雲が、ゆっくりと走っていくのが見えた。

山道はゆるやかにのぼっていった。

しばらくのぼって、山道がくだりになったところで、小さな沢《さわ》にでた。小石の上をとびこえて流《なが》れをわたっていくと、あさせにサワガニがいるのが見えた。ぬれた青い背中《せなか》に、月の光があたっていた。青いサワガニなんてめずらしい。

わしが近《ちか》づいていくと、サワガニは、石のかげにかくれた。そっとのぞきこむと、サワガニはおどろいて、目玉をこっちにむけてあとずさりした。わしに食われてしまうとでも思っているのだろうか。

「ぼくはきみを食べやしないよ。道をききたいだけだよ」

わしが、石から体半分だけだしていうと、サワガニは、口からプクプク小さなあぶくをだして、わしを見つめた。

「ねえ、この道、トガリ山へのぼる道?」

わしが、ななめ上の方をゆびさすと、サワガニは、三歩ほどあとずさりして、あとはだまっている。

わしの声が、沢の流れの音にけされてきこえないのかもしれない。

「ねえ、ねえ、この道、トガリ山へのぼる道?」

わしが石の前に体をだして大声でいうと、サワガニは、ハサミを口にあてて、小さな声で、

「さわがに、さわがに」

といった。サワガニは大声がきらいなのだろう。

「ねえ、トガリ山へのぼる道、しってる?」

わしは、ゆっくりサワガニに近づきながら、小さな声でいった。サワガニは、また三歩ほどあとずさりして、

「なにかに」

といった。やっぱり、よくきこえないらしい。わしが、口の前に両手《りょうて》をそえて、

「この道、トガリ山へのぼる道?」

と大声でいうと、サワガニはハサミを口にあてて、

「しずかに、しずかに」

といった。どうも、へんなサワガニだ。

「ほんとは、道、しらないんだろ」

わしがにらみつけると、サワガニはまた三歩ほどあとずさりして、

「なにかに」

といった。どうやらサワガニは、わしをからかっているみたいだ。わしがおこって、

「ほんとは、道、しらないんだろ」

と大声でいうと、サワガニは、

「さわがに、さわがに。しずかに、しずかに。おだやかに」

といいながら、ハサミを口にあてたまま、よこ走りでにげだした。わしがそのままにらみつけていると、サワガニは、

「わかに」

とつぶやいて、ポトンと流《なが》れの中に体をしずめた。サワガニの青い体は、しばらく水の中でゆれて、動《うご》か

なくなった。やがて、水の中の小石の一つと見わけがつかなくなった。

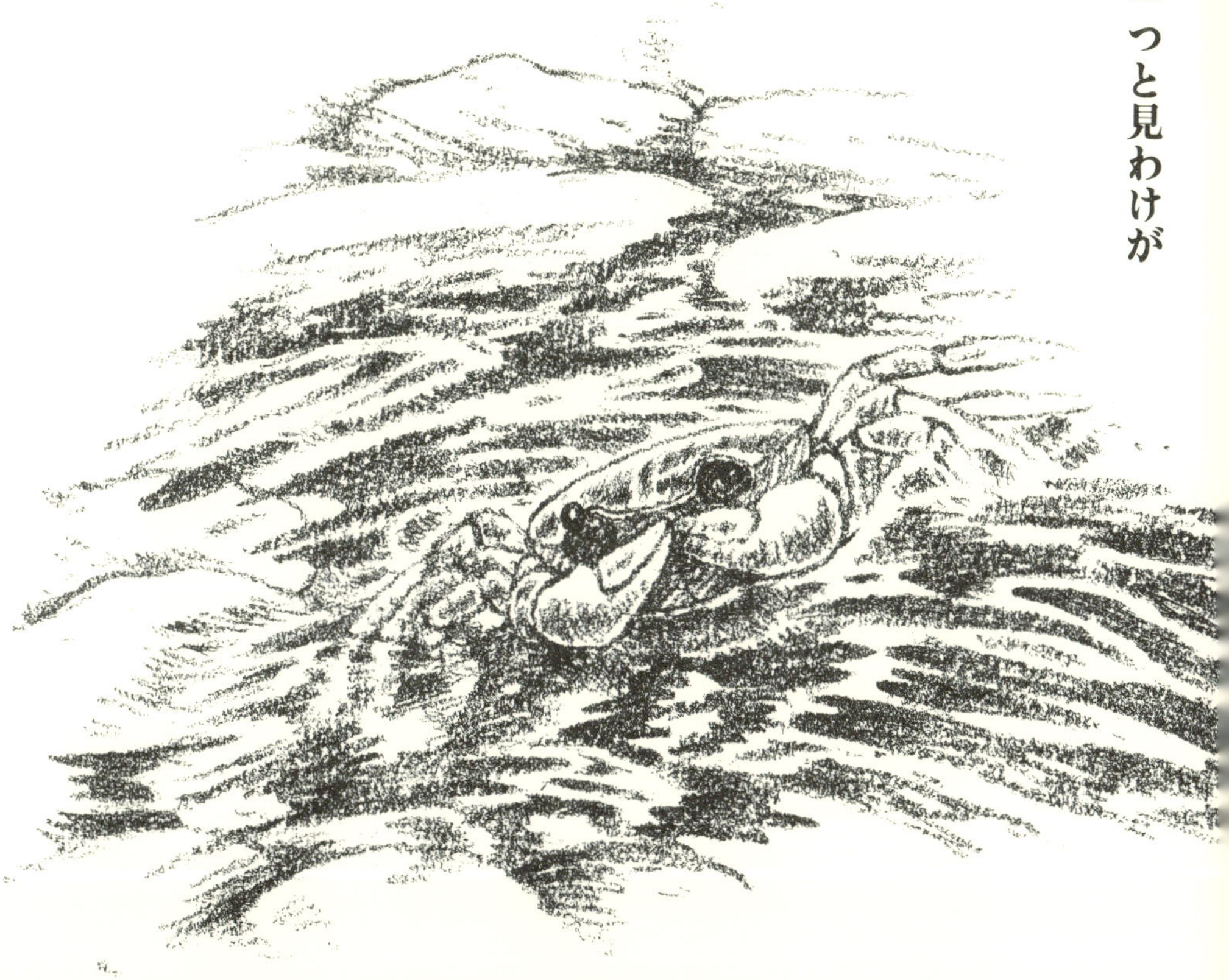

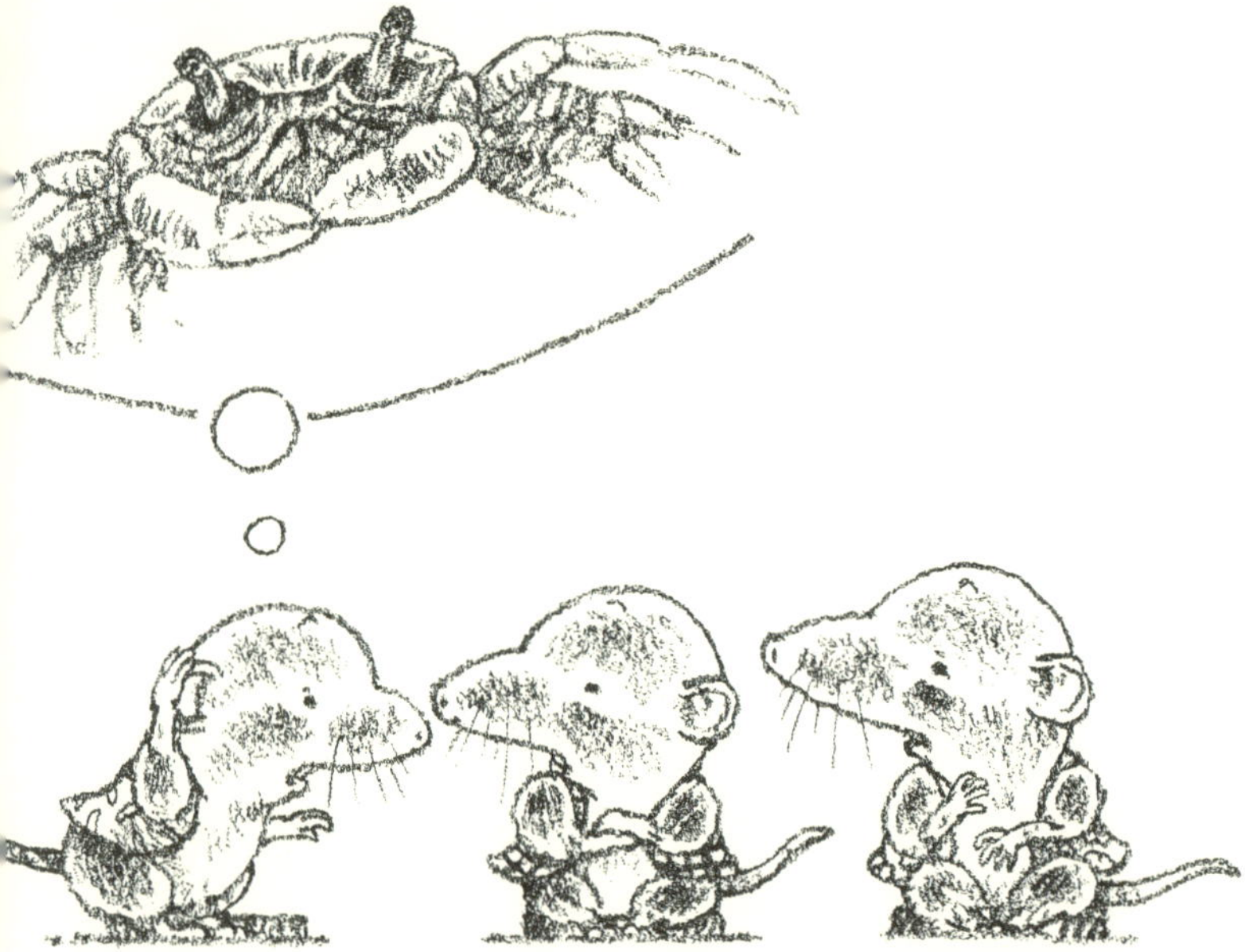

「おじいちゃん、青いサワガニって、めずらしいね」

キッキがいった。

「そうなんだ。赤いのはよく見るけれど、そのサワガニは青かった。ぬれた体に月の光をあびて、すきとおるような青だった」

トガリィじいさんが目をほそめた。

「青いサワガニっていじわるなの？」

クックが首をかしげると、

「ちがうよ、食べられちゃうんじゃないかって、こわがってたんだよね」

キッキが、トガリィじいさんを見た。

「やっぱり、道、しらないんじゃないの」

セッセがいうと、

「そうだ。そのサワガニ、年寄《としよ》りで耳がとおいんだ」

クックが立ちあがっていった。

「ちがう。サワガニは、いつも沢《さわ》にいて、道を歩かないから、道をしらないんだよ」

セッセが、うでぐみをしていった。

「ねえ、ねえ。それで、四番目のわかれ道は、トガリ山へのぼる道だったの？」

キッキも立ちあがって、話をせかすと、

「さわがに、さわがに」

トガリィじいさんが、両手《りょうて》でハサミをつくってわらった。

4　一人前のギンネズミ

山道は、沢《さわ》にそってくねくねまがりながらのぼっていく。この道が、トガリ山のてっぺんへ行く道なのかどうか、どうしたらしることができるだろう。のんきなもので、わしがこまっているというのに、背中《せなか》のテントはすっかりねこんでしまった。

　山道はときどき沢といっしょになって、はっきりしなくなる。流《なが》れはところどころで小さな滝《たき》をつくって、音をたてておちてくる。

　しぶきにぬれた岩《いわ》づたいに、沢をのぼっていくと、流れの中に、なにか生きものがいるのに気がついた。川下《かわしも》から流れにさからって、はねるように沢をかけのぼってくる。

　いったいなにものだ。ネズミだろうか。わしは目をこらした。

わしが見ているのを気にとめるようすもなく、カエルのようにあさせをはねて、魚《さかな》のように体をくねらせ、ふかみをおよぎ、滝の中にもぐりこんだ。滝のわきの

岩《いわ》によじのぼってのぞくと、滝《たき》の中に、岩にしがみついている、ずぶぬれの生きもののすがたが、ぼんやり見えた。

生きものは、水のいきおいにおし流《なが》されそうになりながら、やがて滝の上に顔をだした。頭の上に、流れが銀《ぎん》いろのおびをつくって走った。

いくらかゆるやかな流れにたどりついて、銀いろのおびがみじかくなると、生きものは水の上に半分《はんぶん》すがたをあらわした。月の光があたると、生きものの体も銀いろにかがやいた。

ギンネズミだ。

わしはじいさんからきいたことがあった。ギンネズミは、水中をおよぎまわり、沢《さわ》をかけのぼって、魚《さかな》や虫をとってくらしているカワネズミのことだ。体つきはわしたちより大きいが、もともとはおなじ祖先《そせん》をもつ、しんせきだという。

ギンネズミなら、トガリ山へのぼる道をしっている

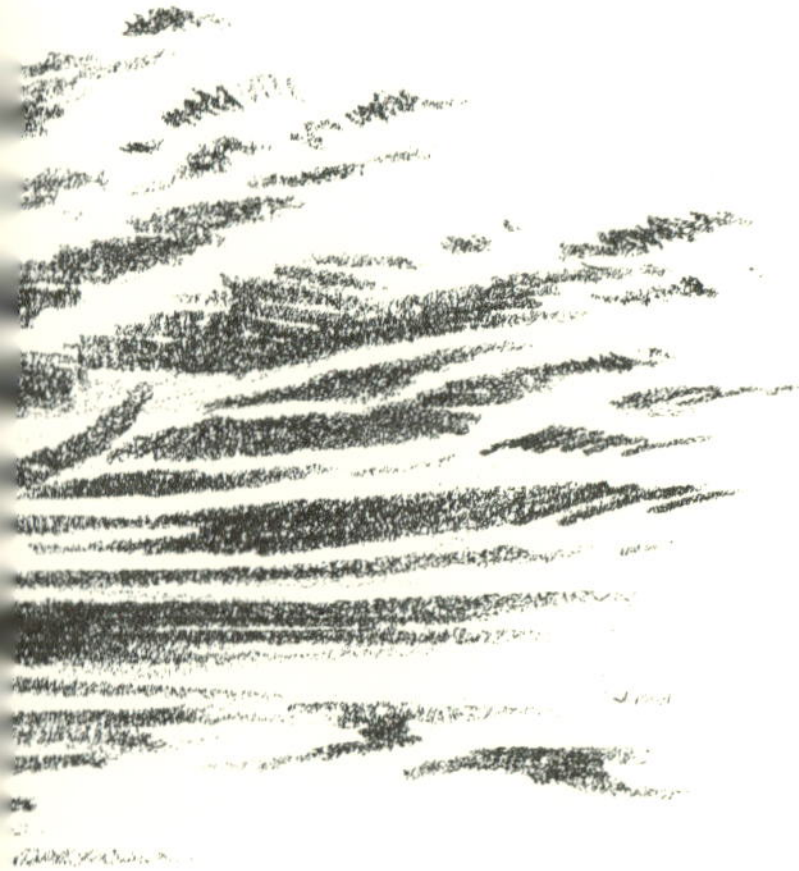

かもしれない。

「やあ、ちょっとききたいんだけど」

わしは流れの音にまけないように、大声でさけんだ。ギンネズミは、おどろいたように、わしの方にふりむいた。そのとたん、ギンネズミの体はツツーと流れにおし流され、あっというまに、いま、やっとのぼってきた滝をすべりおちて見えなくなった。

すまないことをした。もっと流れのないところにたどりつくまで、声をかけるのをまつべきだったのだ。わしは、滝をおちた水が、ゆるやかな流れにかわるあたりの水面《すいめん》を見つめた。

こまかくくだけた月の光が、水の中でおどっていた。ギンネズミはどこまで流れていったのだろう。なかなかもどってこなかった。

流れの音がわしをつつんでいた。トガリ山でうまれた水は、たえまなく流れつづけている。いったい、いつからこうして流れつづけているのだろうか。

そういえば、ミズスマシが、水がうまれるところを見てきてくれといってたっけ。トガリ山のどこでうまれるのだろう。

そんなことを考えていたときだ。また、ギンネズミがすがたをあらわした。

下の滝《たき》からはいあがってくると、あさせをはねるようにかけのぼり、ふかみをおよぎ、つぎの滝のうちがわにもぐりこんだ。

じっと見ていると、しばらくして、ギンネズミの黒いかげが、滝の上の水の中でゆれた。いったん水の上に顔をだし息《いき》をすると、まるでうすい布《ぬの》の下にでももぐりこむように、また水に頭をつっこんだ。

ちょっとゆだんすれば、おし流《なが》されてしまうのだろう。水の中で岩《いわ》にしがみつきながら、すこしずつすすむ。

――がんばれ、ギンネズミ――わしは心の中でさけんだ。やがてギンネズミは、頭の上から銀《ぎん》いろのおびをひきながら、ゆるやかな流《なが》れへとたどりついた。

わしは、声をかけるのをすこしまって、となりの岩《いわ》へととびうつった。

だが、ギンネズミは、わしがいるのを気にとめるようすもなく、あさせにつくとすぐにかけだした。ひと休みする気もないらしい。

「ねぇ、ねぇ、ギンネズミ！」

わしもかけだしながら、ギンネズミの背中《せなか》にむかってさけんだ。ギンネズミは走りながら、首だけひねってこっちを見た。

「やあ」

わしが手をふると、ギンネズミは体半分水につかったまま、けげんそうな顔で立ちどまった。

「ちょっと、ききたいことがあるんだ」

「……」

「トガリ山へのぼる道、しってる？」

「……」

わしは、さらに岩づたいにギンネズミに近《ちか》づいた。

「トガリ山へ、のぼる道?」

ギンネズミは頭から水をしたたらせて、長いひげをさかんに動《うご》かした。

「道というのは、沢《さわ》のことだべ?この水は、トガリ山でうまれた水だ。ということは、この沢をのぼって行けば、トガリ山だべ」

ギンネズミは、いくつもの小さな滝《たき》をつくってかけおりてくる、水の流《なが》れを見あげた。流れの音は夜の空気をふるわせ、まっくらな森のおくにすいこまれていく。

「そんで、おめえさん、トガリ山へのぼるのか」

ギンネズミは首をかしげ、わしを見あげた。

「そうだよ。ぼくたちトガリネズミのトガリィ家では、トガリ山のてっぺんにのぼれば一人前、といわれているのさ」

「ふーん。おらたちギンネズミは、まいにち一人前の魚《さかな》をとれりゃ一人前。ということは、このあたりの沢

でくらしていりゃ、このおらでも一人前のギンネズミ。ということは、一人前でいられるのは一人前の魚《さかな》のおかげ」

ギンネズミは、水の中で立ちあがり、両手《りょうて》を広げてわらった。

「おなじ祖先《そせん》をもつ、しんせきどうしといっても、ずいぶんちがうんだね」

わしがいうと、ギンネズミは目をまるくして、

「おらとおめえさんは、しんせきけえ。ということは、たしかに、鼻《はな》がとがってるとこが、そっくり、というわけだ」

と鼻をひくひく動《うご》かした。

「さて、一人前の魚をとるべ」

ギンネズミはそういいすてて、あさせをかけだし、わしが立っている大きな岩《いわ》のはずれあたりのふかみに、もぐって見えなくなった。

わしは岩の上から体をのりだして、水の中に目をこ

らした。流れの底《そこ》から、銀《ぎん》いろのあわがまいあがってきた。あわにまみれて、数《すう》ひきの魚たちが、身《み》をくねらせ白いはらを見せておどっている。魚たちのあいだをぬうように、はげしくおよぎまわっているのがギンネズミだ。

水にうつった月かげが、ゆれてはくだけて、魚たちといっしょにおどる。月をわってギンネズミがうかびあがった。月ははもんとなって広がった。ギンネズミは魚をくわえていた。魚は三日月のように体をそらしてはあばれた。

ギンネズミは、いったん岸《きし》にあがり、あばれる魚を両手でおさえつけ、はげしくかみついた。そして、もう一度《いちど》しっかりくわえなおすと、流《なが》れにとびこみ、魚にだきつくようにして滝《たき》をすべりおちていった。

「ギンネズミって、すげえ。魚《さかな》よりおよぎがうまいんだ」

セッセが、魚みたいに体をくねらせた。

「ふーん、ギンネズミって、あたしたちのしんせきなのか」

キッキがいうと、

「そう、祖先《そせん》はおなじトガリネズミ。わしたちは、山でミミズや虫をとってくらすのをえらび、ギンネズミは、川で魚や虫をとってくらすのをえらんだ。モグラは、地面《じめん》の下でミミズをとり、コウモリは、空を飛《と》んで夜の虫をつかまえる。みんな、わしたちトガリネズミのしんせきだ」

と、トガリィじいさんがうなずい

た。

「そうか。モグラもコウモリも、みんな、ぼくらのしんせきか！」

クックがうれしそうにいった。

「しんせきでも、くらすところがちがうと、体もちがってしまうんだ」

キッキが自分の手をながめた。

「モグラの手はシャベル、コウモリの手はつばさ。ギンネズミの手は、どんな手？」

セッセも自分の手を見ていった。

「ゆびとゆびのあいだに、かたい毛がはえていて、ギンネズミの手は水かきなのさ」

トガリィじいさんが、両手《りょうて》のゆびを広げて、およぐまねをした。

5　ギンネズミの道

沢《さわ》をのぼっていけばトガリ山だと、ギンネズミはいっていたけれど、ぬれた岩《いわ》の上を歩いていくのは、なかなかたいへんだ。沢といっしょになった山道は、それきりきえてしまった。

岩から岩へととびうつってのぼっていくと、流《なが》れがいくつにもわかれ、たくさんの小さな滝《たき》をつくっているところにでた。そこだけぽっかり空があいていて、高くのぼった月が、流れおちる水に白い光をそそいでいた。

どこからのぼろうかと見まわすと、くさりかかった木のえだが、滝にそってななめに岩によりかかっていた。もうずっと昔《むかし》、風にへしおられ、水に流されて、ここまでたどりついたのだろう。

小えだはなくなり、ふしがまるくふくらんでいる。半分《はんぶん》はコケにおおわれて、しずくをしたたらせている。わしはコケにつかまりながら、えだをよじのぼって

いった。霧《きり》のような
しぶきがふりかかっ
てきて、わしの体を
ぬらしていく。

そのときだ。

黒いかげが、頭の
上を飛《と》んだような気がして、
わしは、はっとして空を見あげた。

と、そのとたん、つかまっていたコケがちぎれ、
足がすべった。あわててコケをつかみなおそうとした
のだが、わしの体はあっというまにすべりおちた。

ガボッ、ガボッとはげしい音をたてて、水が耳や鼻《はな》
や目におそいかかってきた。わしは、水の中で、なに
かつかむものをさがしてもがいた。

流されながら、わしの体は水面《すいめん》にうかびあがった。
目の前に、草がたれさがっているのが見えた。わしは
夢中《むちゅう》で手をのばし、草をつかんだ。

草がぴーんとのびて、わしの体は半分水面《はんぶんすいめん》から上にでた。

「どうした、なんだ、トガリィ」

ねていたテントが、いつのまにか頭の上にはいあがってきていた。

「テント、にげろ！」

わしは声をふりしぼってさけんだ。

テントは、わしの鼻《はな》の上を走って草にとびうつった。草といっしょに、わしの体は水にうかんだまま右に左にゆれた。

「しっかり、トガリィ！」

草の根《ね》もとにたどりついたテントがさけんだ。

流《なが》れがわしをおし流そうと、体をぐいぐいうしろにひっぱった。わしのうでの力は、流れの力にとてもかなわない。わしの手から、ずるずると草がはなれていった。

「トガリィ、トガリィ」

テントのさけび声をかきけすように、ガボガボガボ

と水がさわぎたて、流れがわしをだきこんだ。

わしはいったん水の中にふかくしずみ、すぐにうかびあがった。空にむかって大きく口をあけ、空気をすいこみ、両手《りょうて》をのばしてつかまるものをさがした。だが、あっというまに、わしはまた水の中にひきずりこまれた。

わしの体はぐるぐるまわり、もみくちゃにされ、流されていった。

いくらもがいても、いくらつめを立てても、いくら鼻でさぐっても、もうわしの体は、わしの自由《じゆう》にならない。水がわしを流れの底《そこ》にひきずりこもうとしている。

さらに流《なが》れはいきおいをまし、滝《たき》となっておちていった。水がわしの体をのみこみ、わしも水をのんだ。

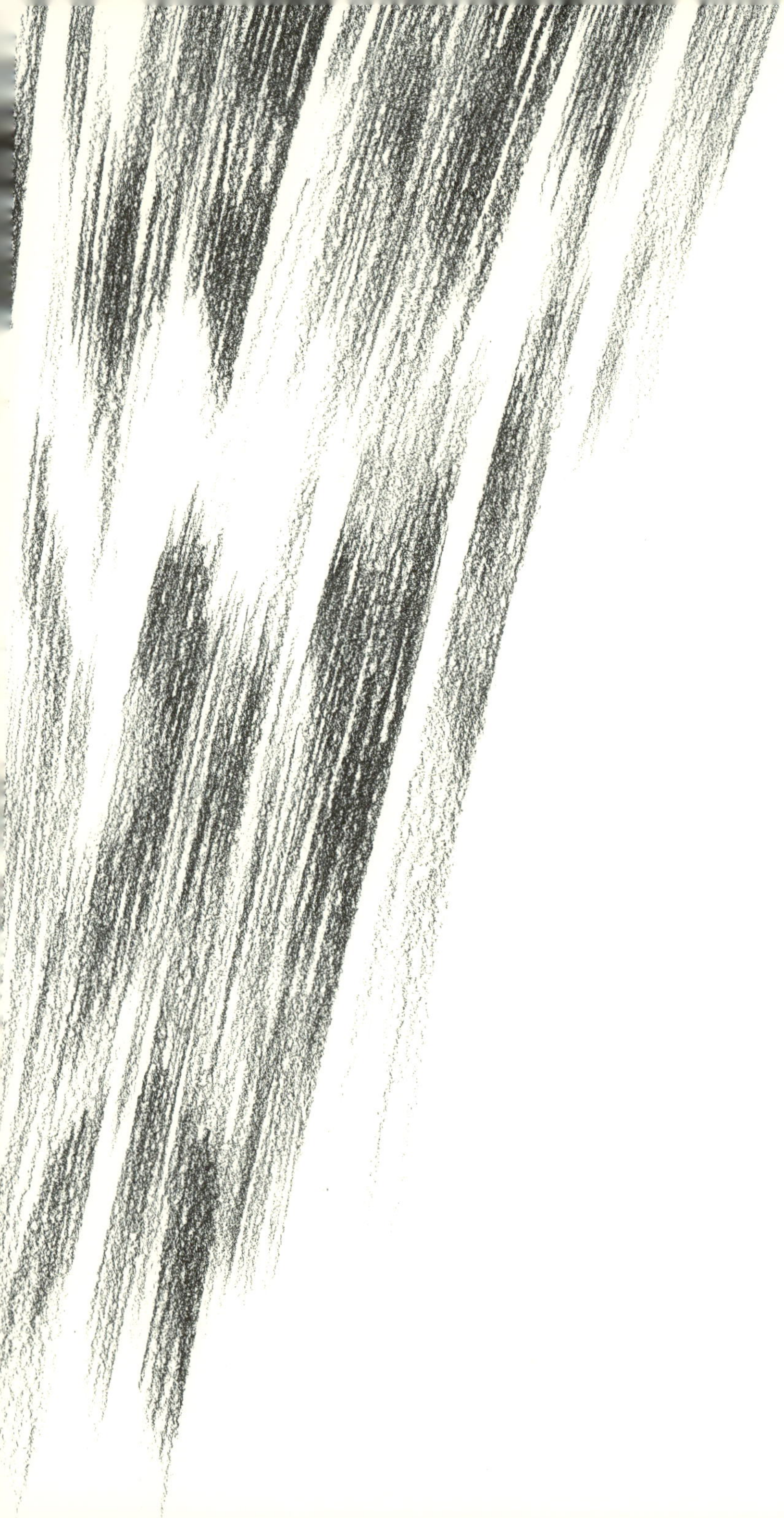

わしは目をつぶり、もがいた。もう、なにも見えないし、なにもきこえなかった。じぶんの中で、じぶんがどんどん小さくなって、きえていった。

わしの体は、どこかにうかんでいた。そこがどこなのか、わしにはよくわからなかった。

まわりには、たくさんのまるいあわのようなものがうかんでいて、ゆっくりと動《うご》いていた。白く光るもの、青みをおびて光るもの、うすみどりいろのもの、わしの体ほどの大きいものから、まめつぶほどの小さなものまで、さまざまだ。

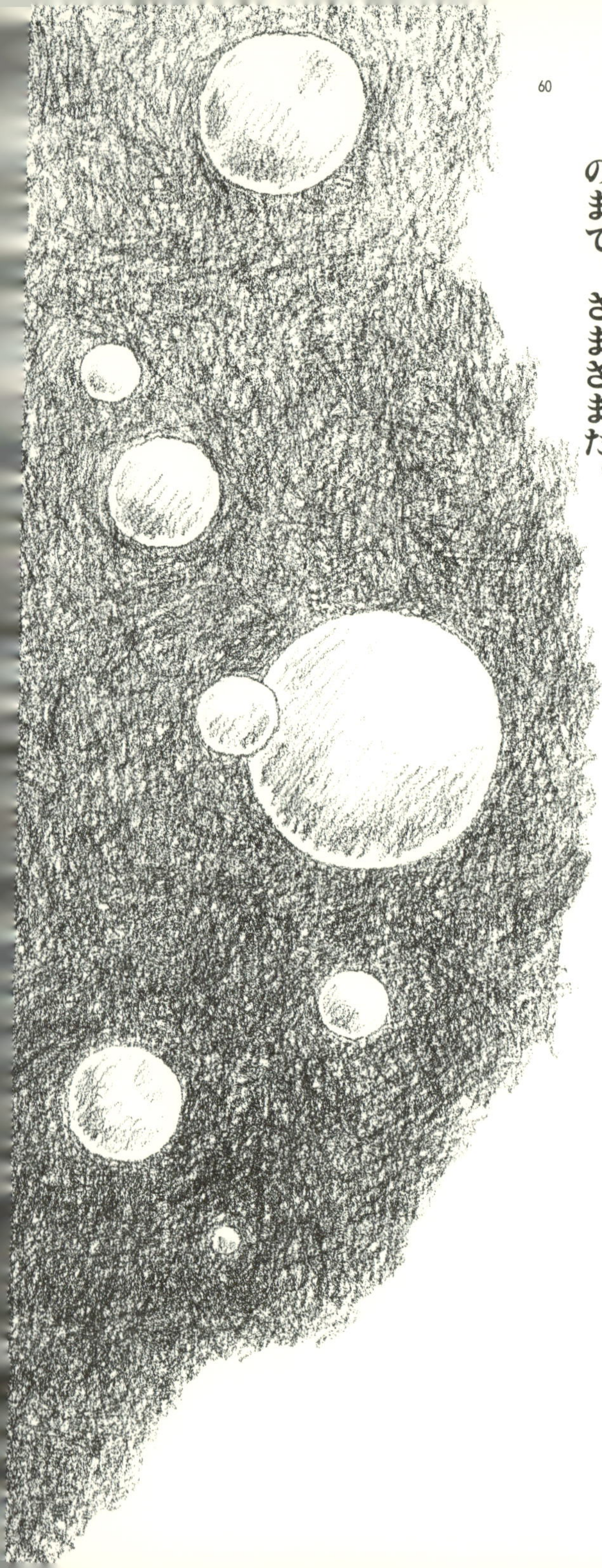

わしの体はこおりついたようにかたくなって、手も足も、動かそうと思っても、すぐには動かない。ここは水の中なのだろうか。右も左も上も下も、夜の空のように、どこまでも青く、どこまでもふかい。

ここが水の中なら、水面《すいめん》はどっちで水の底《そこ》はどっちなのだろう。わしは、上と下がわからなくなった。たくさんのあわつぶは、ときどきふれあってはまたはなれ、さまよっている。ここは水の中ではないかもしれない。もうちっとも息《いき》ぐるしくないのだ。

ここは天？

わしはいつのまにか天にのぼって、そこにうかんでいるのだろうか。トガリ山がつきさっているといわれる天は、こんなところなのだろうか。

わしは、かたくなった体をゆっくり動《うご》かして、あたりを見まわした。あわつぶのように見えるのは星《ほし》かもしれない。

あわつぶといっしょに、うかんでいるものがいるのに気がついた。わしが体をそっちの方へむけると、

むこうも体をこっちへむけた。トガリネズミだ。チョッキをきてリュックをしょっている。なんだかわしにそっくりだ。わしがじっと見つめると、むこうもじっとわしを見つめた。

わしがゆびだけ動かしてあいずすると、むこうもゆびだけであいずした。

まるで水にうつったじぶんを見ているようだ。わしのからだがかってに動いて、ゆっくりとまわりだし、むこうのわしに背《せ》をむけた。

ひとまわりまわって、また正面《しょうめん》にむきあったとき、むこうのわしは、いつのまにか、ずっと遠《とお》くにはなれてしまっていた。「おーい」とよびかけようと思ったが、どうしたのか声が出ない。むこうのわしは、青くふかい空の中にすいこまれて、どんどん小さくなっていった。

　わしが目をあけたとき、さいしょに見えたのは、木の葉《は》のあいだに、そっと光る小さな星《ほし》だった。青くふかい空のおくでふるえるようにまたたいていた。

　ザォー、ザォーという流《なが》れの音が、耳にもどってきた。

「気がついたけ。いかった、いかった」

といって、わしの顔をのぞきこんだのは、ギンネズミだった。

「よかった、よかった、気がついた」

　耳もとで、テントの声もきこえた。こおりついたようにかたくなっていたわしの体が自由《じゆう》になった。わしは体を半分おこして、あたりを見まわした。

　わしは、流れにかこまれた石の上にすわっていた。目の前で滝《たき》が音をたてておちていた。

「あぶなかった、トガリィ。ギンネズミがたすけてくれたんだ」

テントが、わしの肩《かた》の上でいった。

「テントウムシが、おらをよんだのさ」

ギンネズミが、石の上にすわってわしを見おろし、てれくさそうにいった。

「トガリィ、あっちの滝におちて、ここまで流されたんだ。夜は飛《と》ばないっていったけど、ぼく飛んだ。そしたら岸《きし》にギンネズミがいた。たすけてってっていったんだ」

テントが、半分なきだしそうな声でいった。

「ありがと」

わしがおじぎをすると、ギンネズミもあごを前につきだしたまま、ペコリとおじぎをして、

「しんせきだから、たすけるの、あたりまえだ。あやまるのは、おらのほうだべ。沢《さわ》をのぼって行けばトガ

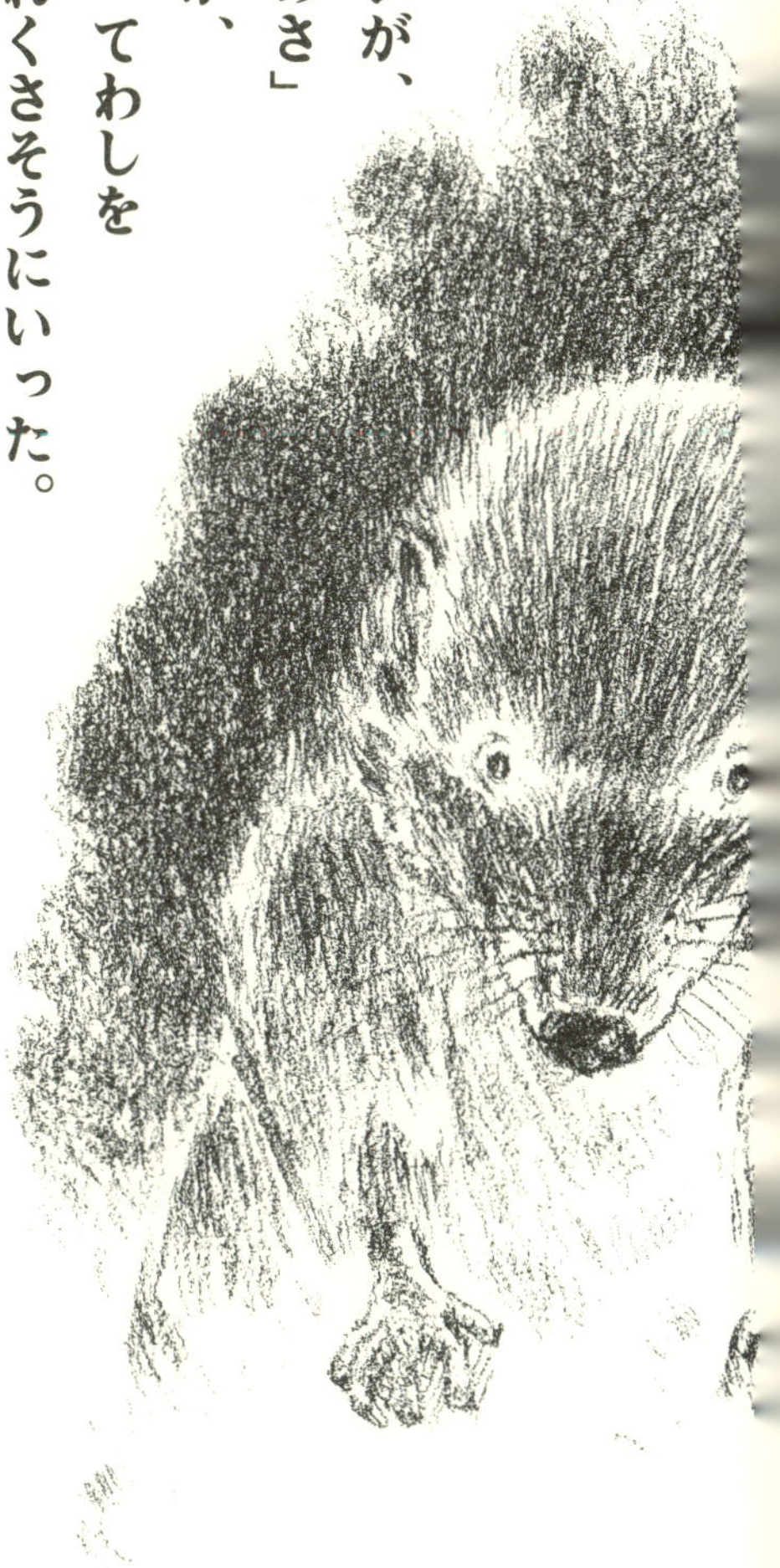

リ山なんて、いったおらがわるかった。おらとおめえさんは、おなじ祖先《そせん》をもつしんせきどうし、とはいっても、それは遠《とお》い昔《むかし》のことだべ。ということは、いまじゃ、おめえさんらには、おめえさんらの道がある。ということは、おめえさんにおらの道をおしえたおらがわるいんだべ」

　といって、ボソボソと頭をかいた。

「きみがたすけてくれなきゃ、いまごろおぼれていたよ。ほんとにありがとう」

　わしがもう一度《いちど》お礼《れい》をいうと、

「そうだな、おめえさんは山でくらすトガリネズミ。ということは、およぎはへた。おらは川でくらすギンネズミ。ということは、およぎがとくい。しんせきだけど、くらしがちがえば、とくいもちがう」

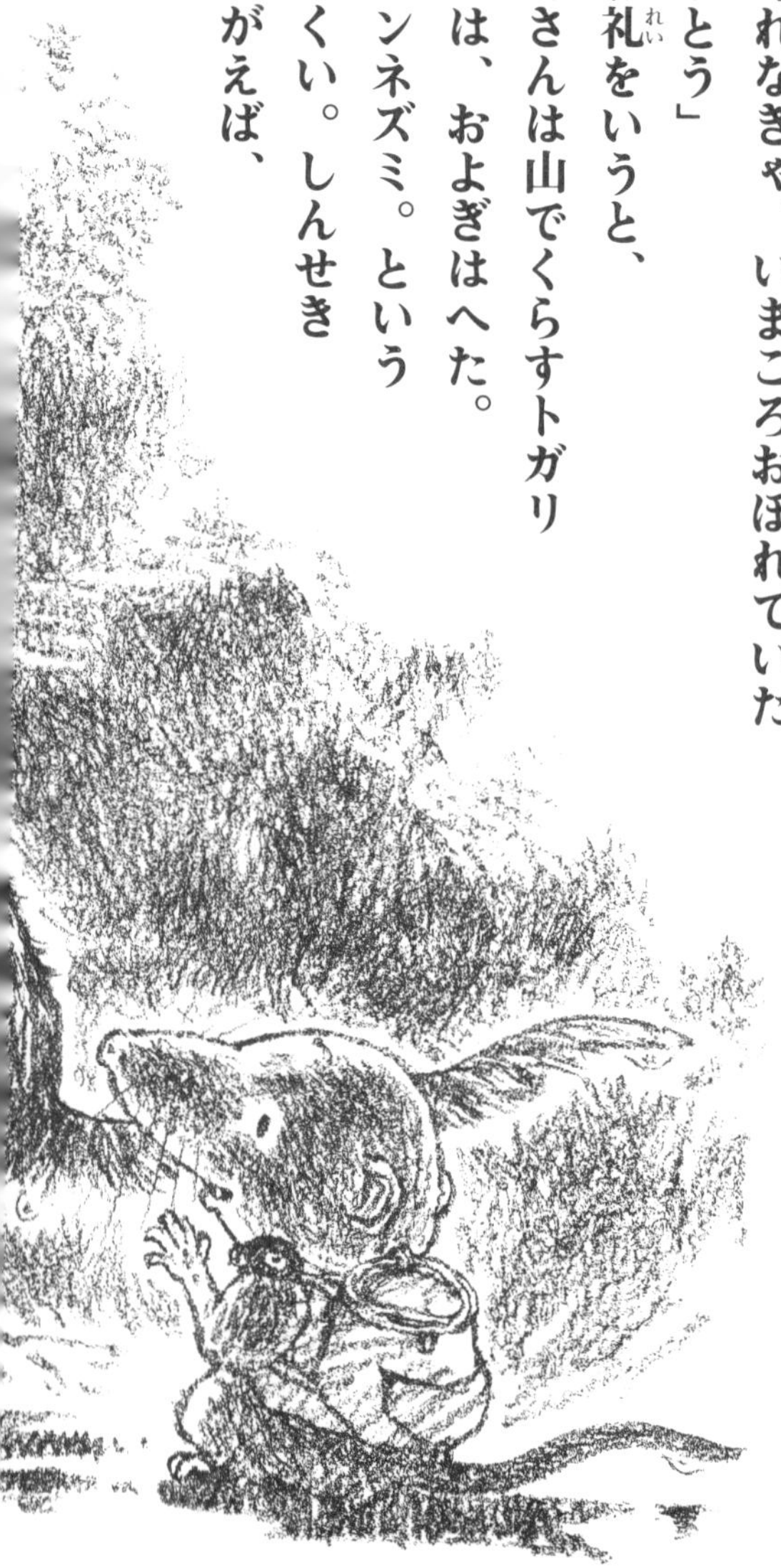

ギンネズミは、口のはしでわらって、体をぶるるとふるわせた。こまかい水《すい》てきが、月の光の中に飛《と》びちった。

「トガリィ、びしょぬれ。リュックも、びしょぬれ」

テントがしんぱいそうにいった。

わしはぬれて体のしんまでひえてきた。

「体をかわかさなくちゃ」

わしはギンネズミのまねをして、思いきり体をふるわせた。

「さて、おらはもう行くべ。じゃ、元気でな」

ギンネズミはくるりとむきをかえると、トボンと流《なが》れの中にとびこんだ。それから、水面《すいめん》から顔だけだしてゆっくりおよぎながら、さけんだ。

「おらたち、しんせきどうしでよかったなぁ……。

まだ、ほかにも、どこかにおらたちのしんせき、いるべなぁ……。しんせきにあったら、おらの話もきかせてやれなぁ……」

ギンネズミの声は、水の音といっしょに石と石のあいだでゆれて、きこえなくなった。

わしは岸《きし》にあがって、かわいたおち葉《ば》の上にリュックをおろした。水にぬれたリュックの中のほしミミズをだして、おち葉にくるんでかわかした。

わしは毛《け》づくろいをすると、ここですこし休むことにした。つかれてねむくなってきたのだ。おち葉をかさねてもぐりこむと、目をつぶった。テントもわしの顔の前にうずくまった。

「テント、ありがと」

わしが小声でいって目をつぶると、

「よかった、トガリィ」

テントも

小声でいった。

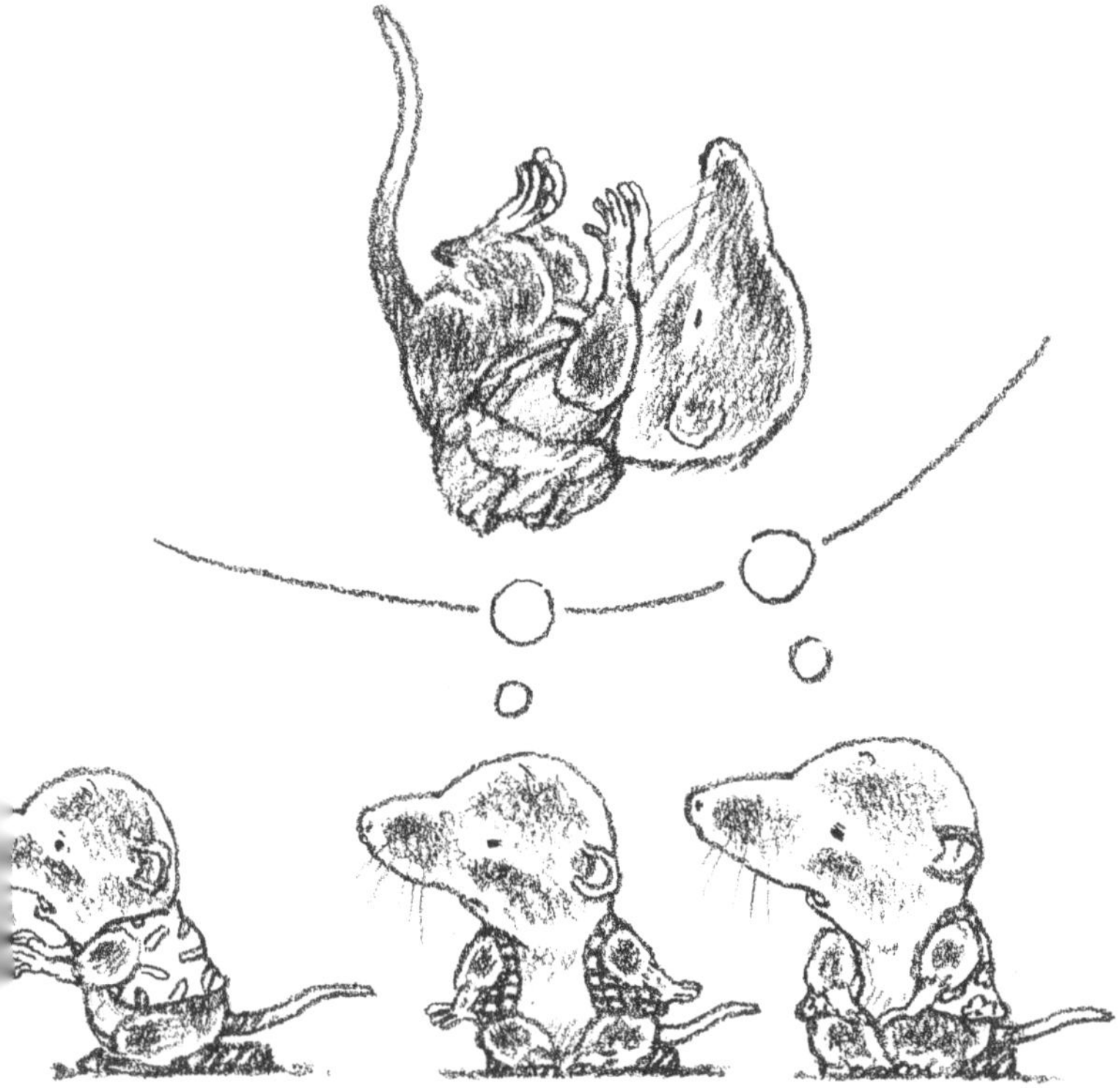

「よかったね、おじいちゃん」

クックが、ほっとしたようにいった。

「しんせつな、しんせきの、おかげ」

キッキが、フフッとわらった。

「テントが、飛《と》んだ、おかげ」

クックが、クッとわらった。

「おじいちゃん、滝《たき》におちたんだから、うかんでいたのは、やっぱり、水の中なんじゃないの」

セッセが、うでぐみをしていった。

「いつのまにか、天にのぼったんでしょ、ね」

キッキが、トガリィじいさんを見た。

「それ、死《し》ぬってことじゃないの」

セッセが、ますますむずかしい顔

をしていった。

「気をうしなったんだと思うな」

キッキが、じっとトガリィじいさんの顔を見つめた。

「やっぱり、もうすこしで、死ぬとこだったんだ」

セッセも、しんぱいそうに、トガリィじいさんの顔を見つめた。

「おじいちゃん、死ななかったもんね」

クックも、しんぱいそうに立ちあがった。

「もちろん、死ななかったさ。ほら、まだこうしてピンピンしている」

トガリィじいさんが、むねをポンポンとたたいた。

6　ぐるぐるまわるまわり道

目がさめると、テントはもうおきていて、わしの顔の前にすわって月を見あげていた。月は木の葉《は》のあいだにわずかにあいた空から、まぶしいほどの光をそそいでいた。

「トガリィ、おきたか。森は、ねむってる」

テントが月を見あげたままいった。

テントのいうように、森は、ねむったようにしずまりかえっている。

「トガリ山のゆめを見たよ」

わしは、目をこすりながら、いま見たばかりのゆめを思いだしていた。

「見えた?トガリ山」

テントも、しょっ角《かく》をこすっていった。

「空の上からね。だけど、白い霧《きり》の中に入ってしまって、てっぺんは見えなかった。そのうち、ねむってしまった」

「ねむってしまった?ゆめの中で?」

「へんかな、ゆめの中でねむるなんて」

月の上を白い雲がゆっくりと流《なが》れていった。

「だけど、さっき頭の上を飛《と》んだ黒いかげは、いったいなんだったんだろう。気のせいかな……」

わしは、くらがりの中にほとんどとけこんでしまっている、一本一本の木たちのようすをさぐった。

「木のせいかな？」

テントもくらがりの中をのぞきこんだ。

ねむっていたのは、わずかな時間だったと思うが、体に元気がもどってきた。

「さて、でかけなくちゃ」

わしは、ほしミミズをリュックにつめて背《せ》おうと、テントの前にシッポをさしだした。

「でかけなくちゃ、さて」

テントはシッポをつたって、わしの肩《かた》の上にのぼってきた。

「とにかく、トガリ山へのぼる山道をさがそう」

「さがそう、とにかく」

テントは、さらに頭の上までのぼって、あたりを見まわしているらしい。

流《なが》れの音をななめうしろにききながら、ササのしげったやぶの中をすすんでいった。やぶの中は、かれておちたササの葉《は》や、木の葉や小えだがつもっていた。かれ葉の下をもぐったり、えだをのりこえたりしてすすんでいくと、とつぜん明るいところにでた。ササがおしたおされていて、頭の上がひらけている。山道だろうか。ササをかきわけ、だれかが歩いていったあとが、ずっとつづいている。

何びきもの動物《どうぶつ》が歩いたのだろう。きっと大きな動

物たちだ。

「だれがとおったんだろう」

わしがまわりのかれ葉のにおいをかいでいると、

「とおったんだろう、だれか」

テントが頭の上でささやいた。

「キツネ？タヌキ？ウサギ？それとも、もっと大きな動物。イノシシ？シカ？カモシカ？」

わしがいうと、

「モシカ、シシカモ？」

とテントがつぶやいた。

「クマ？サル？それとも……、ニンゲン？」

わしがササの根《ね》もとのにおいをかいでいると、

「クマニンゲン、サル？」

とテントが声をひそめた。

「みんな、トガリ山めざして、のぼっていったのかな」

わしは、くらい山道のおくを、目をこらして見つめた。

ギンネズミがいうように、この山道が沢《さわ》にそっていれば、トガリ山のてっぺんへ行きつけるかもしれない。

「この道を行ってみようか」

自信《じしん》はなかったが、わしたちは右の方へのぼっていくことにした。

山道は、だらだらとゆるやかにのぼって左にまがると、とつぜん、きゅうなくだり坂《ざか》になった。むきだしになってつるつるした土の上を、ころがりおちないように気をつけながらおりていくと、坂は太《ふと》いミズナラの根《ね》もとでひと息《いき》ついた。山道はそこから左におれて、またくだっている。

立ちどまって耳をすますと、沢の音が、いつのまにかだいぶ遠《とお》くなっている。背《せ》の高いササのしげみのおくを、風がとおりすぎていく音が、沢の音を消《け》してしまう。

この山道は、沢にそってのぼっていくのではないようだ。とすると、トガリ山のてっぺんへは行けないかもしれない。わしは、ますますしんぱいになってきた。だが、ほかに道があるわけでもなく、このまますすむしかなさそうだ。

しばらくくだっていくと、太いトチの木の根もとで、山道がたいらになった。

くらがりに、トチの葉《は》が一まい、くるりとまるまっておちていた。秋がくる前に、どうしてえだからはなれてしまったのだろう。まだうれていない青い実《み》も、いくつかころがっている。

おち葉のわきをとおりすぎようとしたときだ。とつぜん、カサッと音がして、おち葉が動《うご》いた。わしはとっさに、トチの実のうしろにとびこんで身《み》がまえた。息《いき》をひそめて見つめていると、おち葉は、くるっ、くるっと、ころがりはじめた。

「だれ？」

わしは思わずさけんで、トチの実のうしろにしゃがみこんだ。

「だれ？」

テントも、わしの頭の上でさけんだ。

おち葉はまるで生きものみたいにころがって、月の光が明るくさしこんでいるところまで行って、とまった。わしとテントは、息をのんでおち葉を見つめた。

おち葉は、もうそれきり動かなかった。月の光を気もちよさそうにあびて、しずかにまるまっている。わしはそっとおち葉に近づいて、中をのぞいた。だれもいなかった。おち葉の中は小さなへやのようになっていて、むしが食べたあなから、月の光が入りこんでいた。

山道はトチの根《ね》もとをすぎると左におれて、きゅうなのぼり坂《ざか》になった。息をはずませながらのぼっていくと、太《ふと》いサワグルミの根もとでまた左におれて、こんどはきゅうなくだり坂になった。さらに行くと、トゲだらけのハリキリの根もとで左におれて、またきゅうなのぼり坂になった。と思うと、シナの老木《ろうぼく》の根もとで左におれて、またまたきゅうなくだり坂になった。のぼったと思うとくだり、くだったと思うとのぼり、左へ左へとまがっていく。これで、トガリ山のてっぺんへむかっているのだろうか。どうもおかしい。もしかしたら、おなじところをぐるぐるまわっているだけ

ではないのか。

「テント、この山道、どうもへんだ」

「……」

頭の上のテントはだまっている。

「テント、テント」

「……」

よんでも、へんじがない。またねむってしまったのだろうか。たよりにならないテントだ。

「テント、おきてくれよ」

わしは心ぼそくなって、そっと頭に手をやった。すると、さわりもしないのに、テントがころがりおちてきた。

「おっと！」

わしはうけとめようとして両手《りょうて》をのばしたが、まにあわなかった。テントはきゅうな坂《さか》をころがりおちていった。

「テント！」

わしはあわててあとをおった。だが、いくらも走らないうちに、木の根《ね》っこにつまずいてつんのめった。わしは体をまるめて、きゅうな坂をころがりおちていった。

月や森や根っこや山道が、わしのまわりをぐるぐるまわった。

どこまでもころがって、
わしの体はなにかにぶつかってとまった。
いたみをこらえながら立ちあがろうとすると、

地面《じめん》の方がかってにもちあがってきて、わしにはげしくぶつかってきた。四つんばいになって顔をあげると、山道も根《ね》っこも森も月も、ぐるぐるまわっている。わしは、まわる地面からふりおとされないように、土につめをたててしがみついた。目をつぶると、頭の中まで、ぐるぐるまわっている。

ずいぶんたってからわしはゆっくりと体をおこした。山道も根っこも森も月もやっとまわるのをやめた。わしの前に、太《ふと》いブナの木が立っていた。よく見ると、土の上にうきあがった太い根っこにもたれかかるようにして、テントがさかさまにころがっていた。

「テント、だいじょうぶか」

わしがかけよると、

「ぶか、じょう、だい、ぶか、じょう、だい」

テントが、さかさまのまま、ねぼけ声でいった。

「テント、しっかり！」

わしがおこそうとするとテントは、

「しっか、テントリ、しっか、しっか、テントリ」

といって、手足を体にしまいこんだ。

「そんなとこでねちゃ、だめだよ」

わしは、さかさまのテントをもとにもどしてやった。

するとテントは、

「めだよ、ちゃね、めだよ、ちゃね」

と、ねごとみたいにくりかえした。

頭の上でいねむりをしていて、ころがりおちたのだろう。それにしても、テントったら、あんなに長い坂《さか》をころがってきたのに、まだ目をさまさない。それとも、目がまわったままなのだろうか。

「ポケットに入ってねむりなよ」

わしが手をさしだすと、

「トガリアリガトガリアリガトガリ……」

とつぶやきながら、わしの手から肩《かた》をとおって、リュックのポケットにもぐりこんだ。

「アリガトガリ……」

テントはもう一度《いちど》つぶやくと、ね息《いき》をたてはじめた。

さて、いったいどうしたらいいんだ。わしはわれにかえってまわりを見まわした。

おや?ここはなんだか、見おぼえのある場所《ばしょ》。道が広くなっていて、そのまん中に太《ふと》いブナの木が根《ね》をはっている。

そうだ。さっきとおった、わかれ道の広場《ひろば》じゃないか。わしはさっき、たしか右から四番目の道へすすんでいったはずだ。それがどうしてもとにもどってきてしまったのだろう。どこでどうなったのだ。わしは、また五本の道をじゅんにのぞいて歩いた。

見ると、五番目の道だけは、入ってすぐきゅうなのぼり坂になっている。わしたちは、この坂をころがりおちてきたのにちがいない。とすると、四番目の道は、ぐるっとまわって五番目の道にもどってくるだけの、ただのまわり道。ぐるぐる目もまわるまわり道……。

わしはブナの根《ね》もとにすわって考えこんだ。

ふと上を見ると、またあの小さな目が光っている。こんどは一ぴきふえて、三びきがブナのえだの上にまるまって、じっとこっちを見ている。まん中は、かあさんヤマネだろうか。両《りょう》がわの二ひきより体が大きい。ねむってしまったテントも、そうだんあいてにならないが、このヤマネも、なにをきいても「やあまあねえ」で、たよりにならない。

ところで、三番目の道を行ったあいつはどうしただろう。どうせきいてもむだとはしりながら、ちょっとためしにヤマネにきいてみた。

「あれからネコは、この広場《ひろば》にもどってこなかった?」

するとまん中の大きなヤマネが、

「やあまあねえこお、やあまあねえ」

といった。山ネコは山へのぼったというのだろう。大きいヤマネは、すこし話がつうじるらしい。やっぱりかあさんヤマネだろう。

「じゃ、この三番目の道は、トガリ山へのぼる道?」

わしがうれしくなってきくと、かあさんヤマネはちょっと首をかしげて、

「まあねえ、やあまあねえ」

とつぶやいた。やっぱりあまりたよりにならない。

一番目の道は、二番目の道へのもどり道。四番目の道は、五番目の道へのまわり道。のこされた道は、三番目の道だけだ。あいつがのぼっていった道だけど、行ってみるしかないと、わしは思った。

「よし」

わしは思いきって立ちあがった。

「じゃ、またね」

わしが手をふると、

「じゃ、まあねえ」

とかあさんヤマネが体をおこした。すると、二ひきのヤマネの子が、かん高い声で、

「やあまあねえ」

と、どうじにさけんだ。

7

まよいさまよい月のよい

三番目の道も、ササのやぶをわけてすすんでいく。四番目の道とおなじように、はじめはゆるやかなのぼり坂《ざか》がつづき、すこしくだって沢《さわ》をわたると、またのぼっていった。

森はしずかだった。風もねむってしまったのか、ササの葉《は》一まい動《うご》かない。やぶの中には、ミミズだって、コオロギだって、カエルだって、ヘビだって、いろんな生きものたちがいるだろうに、みんなだまりこくっている。まるで、この森の中でいま動いているのは、わしひとりみたいに思えてくる。

テントはすっかりねこんでしまったようだ。わしは早足で歩き、ときどき立ちどまっては、あたりにちゅういをはらった。

のぼるにつれ、山道がだんだんほそくなってきた。わしもますます心ぼそくなってくる。そのうち、ササの葉が、頭の上におおいかぶさるほどになってきて、月の光もほとんどとどかなくなってきた。

うすくらがりの中を、そのまま歩きつづけているうちに、ふと気がつくと、山道がなくなっている。わしが歩いているところは、まわりのやぶの中と、なにもかわらないではないか。まっすぐにのびたササが、立ちならび、地面《じめん》には、おち葉があつくつもっている。

これでは、この先どうすすめばいいのかわからない。わしはあわててひきかえした。さっきまで歩いていた山道から、まだそんなにはなれていないはずだ。

だが、どうしたことだろう。もとの山道にもどることができない。立ちどまり、背《せ》のびをして見まわしても、どこもおなじようなやぶの中だ。こっち？いや、ちがう。こっちだろうか？やはり、ちがう。行ってはもどり、行ってはもどりしているうちに、もう、どっちがどっちだか、まるで方向《ほうこう》がわからなくなった。

とほうにくれてしゃがみこんだ。とにかくおちつかなくてはいけない。わしはじぶんにいいきかせて、ひげをしごいてピンとのばし、むねをはった。

前を見ると、やぶのおくが、おそろしいほどのふかいヤミになっているのに気がついた。うしろをふりかえれば、くらい中にもかすかな月の光をかんじることができるのに、この先のヤミのふかさはなんだろう。右にも左にも上にも、ヤミは行く手をふさぐように広がっている。

　わしは、用心ぶかくヤミの中に目をこらした。こんなふかいヤミの中にまぎれこんだら、二度《にど》とでてこられなくなるかもしれない。わしは、こわくなって体をかたくした。

ふかいヤミの中に入りこまないように、ヤミにそってゆっくりすすみながら、ようすをうかがった。

わしが歩くと、地面《じめん》のおち葉《ば》が、カサッと音をたてる。なるべく音をたてないように気をつけるのだが、すこしふれただけでも、おち葉はかわいた音をひびかせる。

しかし、それにしても、どうもへんだ。わしが、カサッとおち葉を鳴らすと、ヤミのおくでも、カサッと音がする。ふしぎに思って立ちどまると、むこうの音もとまってしまう。また歩きはじめると、カサッ、カサッと、音がいっしょについてくる。

ヤミの中にだれかいるのだろうか。わしは立ちどまって耳をすました。ふかいヤミはどこまでもふかく、しずまりかえっている。
わしが歩きだすと、
カサッ　カサッ
と、またヤミの中でおち葉《ば》が鳴る。
わしがかけだすと、
カサカサカサ
と、おち葉の音もいっしょに走りだす。
やっぱり、ヤミの中にだれかがいる。わしのまねをしてついてくる、すがたの見えないまっ黒いやつ。わしはヤミの中を見つめながら、早足で歩いた。
カサッカサッカサッ
ヤミの中のまっ黒いやつは、大きな音をたてて、どこまでもついてくる。
「だれなんだ！」
わしはがまんできなくなって、

とうとうさけんだ。

「だれなんだあああ！」

ヤミの中から、ぶきみな声がかえってきた。わしはヤミとむかいあい、身《み》がまえた。わしがだまっていると、むこうもだまっている。

そのときだ。森にさしこんでいた月明りが、ふうっときえた。右も左も前もうしろも、ヤミにつつまれてしまった。

いけない。このまますすんだら、このふかいヤミのおくに、入りこんでしまうかもしれない。ふかいヤミからすこしでもはなれようと、わしは思った。

どっちをむいても、まわりはヤミばかりなのだが、わしはまわれ右をして、かけだした。

カサッカサッカサッカサッ

うしろから大きな音がおいかけてくる。ひげと鼻《はな》で前をさぐりながら、わしはくらいやぶの中を走った。なんどもササにぶつかりそうになって、右に左によけた。

カサッカサッ　カサッカサッ
カサッカサッ　カサッカサッ

音はうしろからおいかけてくるだけでなく、右の方からも、左の方からもひびいてくる。

カサッカサッ　カサッカサッ
カサッカサッ　カサッカサッ
音は、とうとう森じゅうに広がった。ふかいヤミの中からでてきたまっ黒いやつらが、森じゅうにちらばって、わしといっしょに走っていくのか。
それとも、ふかいヤミの中にいるのは、わしのしらないわし自身《じしん》なのか。わしのしらないたくさんのわしが、森じゅうにちらばって、わしといっしょに走っていくのか。

カサッカサッ　カサッカサッ
カサッカサッ　カサッカサッ
ふしぎな音からのがれようと、わしはやぶの中をかけまわった。音はどこまでもおいかけてくる。
わしはふしぎな音にとりかこまれ、にげばをうしなった。走るのをあきらめ立ちどまると、なにものかにシッポをつかまれたような気がした。わしはひめいをあげ、まるでほそいぼうのようになって、ヤミの中にとびあがった。わしのひめいは、びっくりするほど大きな声になって、あたりにひびいた。
するとどうだ、ヤミの中に、大きなかいぶつが、かべのようになってつっ立っていた。わしはそいつに体ごとぶつかってはねかえされ、地面《じめん》にたたきつけられた。
わしはシッポのつけねを強くうって、その場《ば》にうずくまった。すぐには息《いき》ができないほどくるしかった。わしは目をつぶり体をまるめて、いたみをこらえていた。

わしの前に立ちはだかったヤミの中のかいぶつは、わしをふみつぶしてしまうのか、それともひとのみにしようというのか。わしはうずくまったまま、じっとようすをうかがった。しずけさと、どこからか流《なが》れてくるつめたい空気が、わしの体をつつみこんだ。

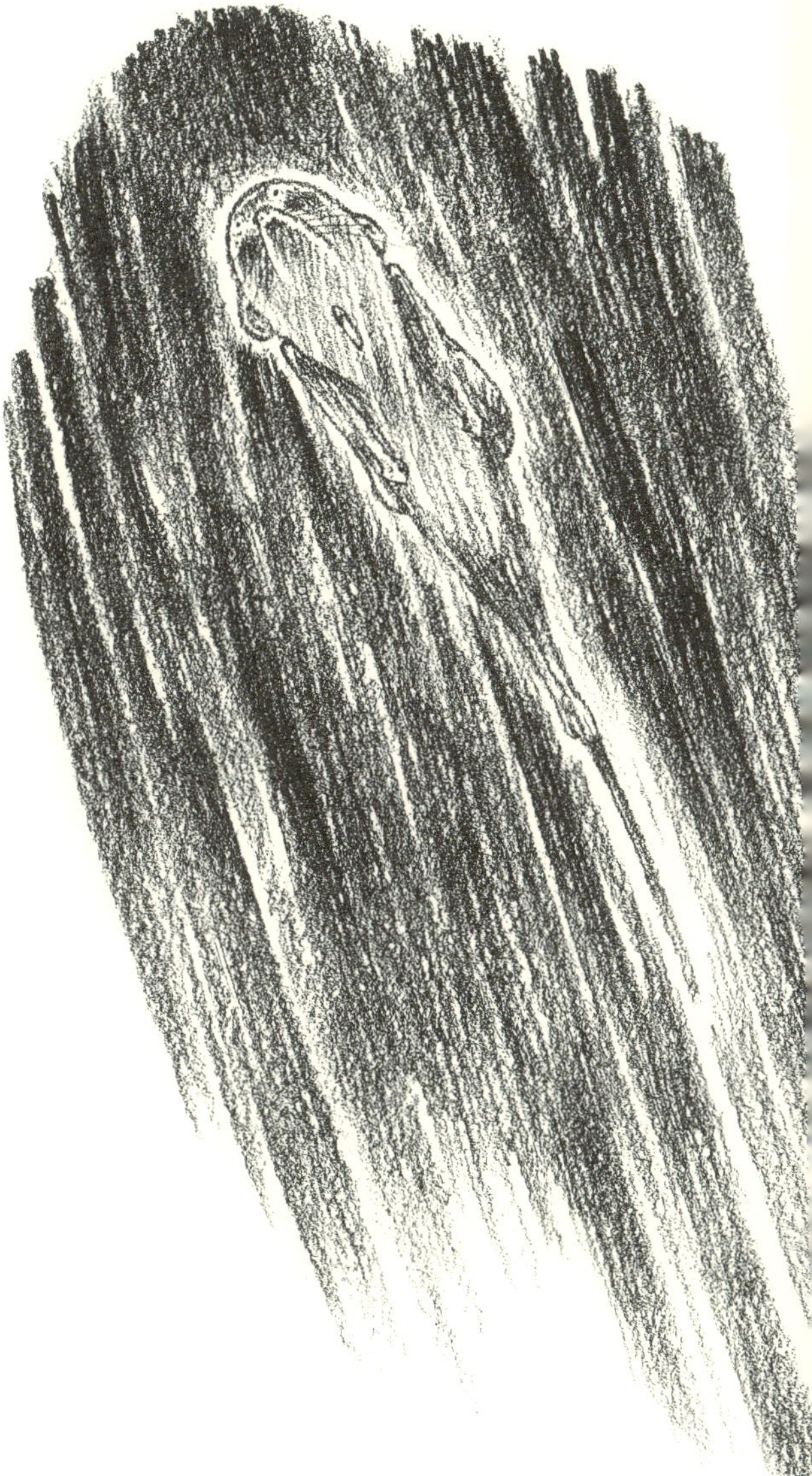

どのくらい、そこにうずくまっていたのだろう。ずいぶん長い時間だったようにも思えるし、ほんのわずかな時間だったかもしれない。あたりに明るさがもどったような気がして、目をあけた。雲にかくれていた月が、またすがたをあらわしたらしい。

わしの前に立ちはだかったかいぶつはなにものか、わしはおそるおそる顔をあげた。わずかな月の光をたよりにわしが見たものは、コケにおおわれた岩のかべだった。岩のかべは、わしをのみこもうとしていたかのように、わしの頭の上にななめにはりだしていた。

わしをはねとばしたかいぶつも、ふかいヤミの正体も、この岩だったようだ。

それはそうと、背中《せなか》のテントはどうしただろう。わしはわれにかえって、うしろをのぞいた。テントは、ね息《いき》もたてずにしずかにしている。まさか、シッポのつけねを強くうったとき、リュックのポケットの中でつぶれてしまったわけではあるまい。そっとリュックをゆすってみたが、へんじがない。

「テント、テント、だいじょうぶか」

もう一度《いちど》リュックをゆすった。やっぱりへんじがない。わしはリュックをおろし、ポケットの中をのぞいた。テントは、ポケットのそこにふかくもぐりこんでいて、動《うご》かない。

「テント、テント」

わしは大声でよんで、テントのしょっ角《かく》にさわった。

「まあ、やあ、ねえ」

テントがねぼけ声でつぶやいた。生きていた。ゆめでも見ていたらしい。のんきなテントだ。テントは目をさますようすもなく、またそのままねむりこんでしまった。

わしはテントをねかせたまま、リュックを背《せ》おいなおした。なんとかして、山道を見つけなくてはいけない。

岩に近づきそっと手をふれた。岩をつつむあついコ

ケは、水をたっぷりとふくんでぬれていた。かべにそって左にすすんだ。足もともコケがおおっていて、もう、カサッカサッという音はひびいてこなかった。

しばらく行くと、かべはつめたい岩《いわ》はだにかわり、月明りがいっぱいさしこんでいるところにでた。

ほっとして見あげると、はいいろの岩はだが、夜空にむかってのびていた。星《ほし》が見える。

岩の上にのぼろうとわしは思った。ぶきみなヤミの中から早くぬけだしたかった。それに、岩の上にのぼれば、トガリ山が見えるかもしれない。山道を見つけることもできるかもしれない。わしは、きゅうな岩はだをのぼっていった。

岩の上までのぼりつめると、ササのやぶの上にでた。月にてらされてかさなりあっている、ササの葉《は》が見おろせた。岩はかなり大きく、何本分かの大木《たいぼく》のい場所《ばしょ》をじぶんのものにして、ササのやぶの中に、でんとすわっている。すわりこんだ地面《じめん》に、あんなにふかいヤ

ミをつくっているのに、岩の上はひるのように明るい。
見あげると岩の分だけまるく空があいていて、そのはじの方に月がうかんでいる。月のそばを白い雲が長いおびになって、ゆっくりとながれていくところだった。
まわりの木は高くえだをはっていて、トガリ山のすがたは見えない。どこかに山道らしいものはないだろうかと、わしはササのやぶの上を見まわした。

木のかげから明るいところにでたあたりで、ササの葉《は》が、そこだけゆれたような気がした。ふしぎに思ってじっと見ていると、たしかに、ササの葉の下で、なにかが動《うご》いているようだ。

「ま、よいか、ときてみれば、
ここはやっぱり、まよい道。
どうすりゃいいのさ、わかれ道。
よわったぜ、まったく」

やぶの中で声がする。

ササの葉をゆらしながら、声のぬしはすすんで行く。

すがたは見えないが、なにやらなつかしい、きいたことのある声と、そのセリフ。

「わけのわからぬ、わかれ道。
どっちの道も、どっちみち、
まよい道だぜ、わかれ道。
どうなってんだ」

カロン
あいつだ。
あいつは、もうずいぶん前に、三番目の
道を行ったはずなのに、まだこんなところ
をうろついている。あいつも道を見うしなって、
あれからずっと、やぶの中を
さまよっていたのだろうか。
「道があっての、まよい道。
どうすりゃいいのさ、やぶの中。
まよい、さまよい、月のよい。
よいしょと」
カロン　カロリン

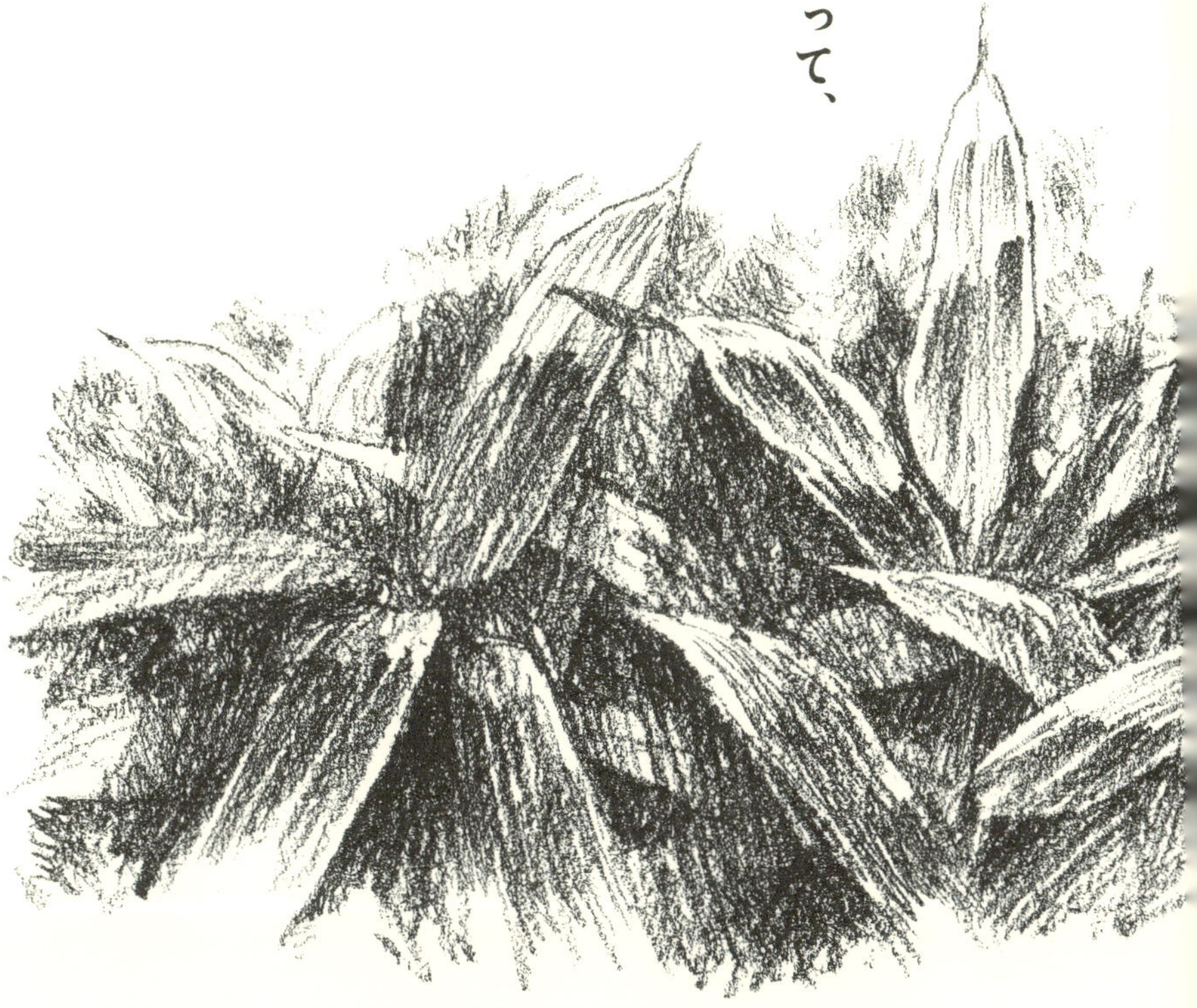

「あいつも、道にまよっちゃったのか」

クックが、両手《りょうて》の上にあごをのせていった。

「つまり、三番目の道は、とちゅうできえてしまうってことだ」

キッキがいうと、

「それじゃ、五本の道はどれも、トガリ山へのぼる道じゃないのか」

セッセが、うでぐみをして首をかしげた。

「道がなくても、のぼっていっちゃえば、いいじゃない」

クックが両手をふって、すました顔でいった。

「そんなことしたら、ますますまよ

って、いつまでたっても、トガリ山のてっぺんにつかないぜ」

セッセが、クックの背中《せなか》をつついた。

「やっぱり、どこかに行くには、道がないとね」

キッキがいうと、

「だれも行ったことがないとこに行くのには、道はないから、さいしょに行くときは、道がないよ」

クックが口をとがらせていった。

「なんだよ、それ」

セッセがいうと、

「そうね、クックのいうとおり。トガリネズミの祖先《そせん》が、さいしょにトガリ山に、のぼったときは、道なん

かなかったかもしれない」

キッキが首をよこにしてうなずいた。

「道って、みんなが歩いて、だんだんできていくんだって、前におじいちゃんからきいたから、しってるよ」

セッセがこしに手をやった。

「そう、足あとが、道のはじまりさ」

トガリィじいさんがうなずいた。

「でも、道がないとこまるよな」

セッセが、またうでぐみをすると、

「じゃ、空を飛《と》べば、道なんかいらない」

クックが、両手《りょうて》を高くのばしていった。

「クックは、空を飛べるのか」

セッセがクックをにらみつけた。

「そうか。しんせきのコウモリが、たすけにきてくれるといいのにね」

キッキが目をクリッとさせて、

「ね、それで、どうしたの。道は見つかったの」

と、トガリィじいさんを見た。

「さて、どうなったと思う？つづきをはじめるとしよう」

トガリィじいさんが、両手をこすりあわせて、三びきの顔を見まわした。

8

ムササビのウロロ

あいつは、ササのやぶの中をさまよいながら、どこかへ行ってしまった。もう、あのおかしなセリフもきこえてこない。

また、しずけさと心ぼそさがもどってきた。背中《せなか》のテントは目をさましそうにない。

「おまえ、なにしてる」

とつぜん、声が空からふってきた。わしはびっくりして空を見あげた。空には月がうかび星《ほし》がかがやいているだけだ。

「おまえ、だれだ」

また声がした。わしはふりかえって、声のぬしをさがした。まるい空にむかって、ミズナラが太《ふと》いえだをのばしている。そのえだのとちゅうに、目玉がふたつ光っているのが見えた。

あいつ!?

とっさに、わしはそう思った。

「そっちこそ、だれ?」

わしは、目玉にむかっていった。じぶんの声がすこしふるえているのがわかった。

「おれ?」

目玉はすこし動《うご》いて、

「おれ、ウロロ」

といった。

「ウロロ?」

「ああ、おれの名前はウロロ。おまえは?」

月明りの中で、目玉がにぶい光をはなった。あいつの目とは、どこかちがっている。それに、その声も、さっききいたあいつのとはまるでちがう。

「ぼ、ぼくの名前は、ト、トガリィ」

わしが、どぎまぎしながらいうと、

「ぼく名前は、テント」

背中《せなか》でテントの声がした。

「ふたりなのか、おまえたち。テントはどこにいる?」

ウロロの目玉が右に動いて、こちらをのぞきこんだ。カロリンと音がしないところをみると、ウロロはあいつではない。

「ぼく、リュックのポケット」

テントがいった。

「リュックのポケット?小さいんだな、おまえ」

ウロロはウフッとわらった。

「トガリィとテント、そんなとこにいないで、こっちへのぼってこいよ」

ウロロが立ちあがり、顔半分に月明りがあたった。

「のぼってこいっていったって、そんな高いところへはのぼれないよ。トガリネズミは、木のぼりはうまくないんだ」

わしがいうと、

「ぼくは飛《と》べる、だけど、夜は飛ばない」

テントがいった。

「ふーん。トガリィは木のぼりがへたで、テントは夜は飛ばないのか。おれはムササビ、木のぼりはうまいし、夜、空を飛ぶぞ、おまえ」

ウロロは、またウフッとわらった。

ウロロはムササビ！夜の空を飛びまわる、あのムササビなんだ。さっき滝《たき》におちたとき、頭の上を飛んだのは、ウロロかもしれない。

そうだ。ウロロなら、この森のことをよくしっているにちがいない。

「ねえ、ウロロ。トガリ山へのぼる山道、しってる？ぼくたち、道にまよってしまったんだ」

「山道？道か……。おれ、道にはくわしくないんだ」

ウロロはこまったようにいって、うでぐみをした。

「どうして？ウロロはこの森にすんでいるんだろ」

「それはそうだけど、おれ、ムササビだからな」

「ムササビだから？」

「そうさ。ムササビは、山道なんか歩かないぜ、おまえ」

なるほど、ムササビは空を飛《と》ぶから、道などいらないというのだろう。

「そうか……」

わしがしょんぼりしてすわりこむと、

「わかった、つれてってやるよ。おれ、これから、ぬしさまのところへ行こうと思ってたとこなんだ。ぬしさまのところへ行けば、すぐにわかるさ、きっと、おまえたちの道」

ウロロはそういうと、頭をさげ、わしたちの方を見おろして、身《み》がまえた。そして空中に飛びだした。

ウロロは手足を広げ、白いはらを見せて空にうかんだと思うと、わしたちのすぐそばの岩《いわ》の上にまいおりた。ウロロがおこした風が、わしのヒゲをなびかせた。

「おれの背中《せなか》にのれよ。ここはあぶないぜ、おまえ」

ウロロが、わしにうでをさしだした。すきとおった大きな目がわしを見おろしている。ムササビを、こんなま近《ぢか》で見るのははじめてだった。

　わしの目の前にさしだされた大きな手の、長いゆびの先には、するどいつめが光っている。うでには、つやつやとした黒い毛《け》が、そとがわにむかってきれいにならんでいる。

　わしは、ななめになったウロロのうでの上を、毛につかまりながらのぼっていった。ウロロは、わしがすべりおちないように、じっと動《うご》かずにまっていてくれた。首のまわりは、うでの毛よりも長いちゃいろの毛におおわれていた。頭のうしろまでのぼって、わしは両《りょう》手《て》でしっかりとウロロの毛をつかんだ。

「いいか、トガリィ、テント。しっかりつかまれよ、おまえ」

ウロロはそういうと、岩《いわ》の上を走った。岩のはじまで行くと立ちどまり、いったん首をひくくさげ、それから、ひらりとミズナラのみきにとびついた。わしは体半分ウロロの頭の中にうまって、両《りょう》手《て》両《りょう》足《あし》で毛《け》をたばにしてつかんでいた。

ウロロは、あっというまに太《ふと》いミズナラのみきをかけのぼった。さっきまでの、もっそりとした動《うご》きやしゃべりかたとは、まるでちがうすばやさだ。

みきがふたまたにわかれたところから、
さらにのぼって、よこにはりだした
太いえだの上にきて、
ウロロはとまった。

ウロロの頭の上から見おろすと、さっきまでわしたちがいた岩《いわ》が、ずっと下の方に見えた。上から見ると、岩はまん月のようにまるく、ササやぶの中に半分うまって、青白く光っている。

こんな高い木の上にのぼって、森をながめるのは、はじめてだった。いつも見あげていた木のえだが、下の方で葉《は》を広げている。いつも歩いている地面《じめん》は、もっとずっとずっと下の方だ。

「へえ、ウロロは、いつも、こんな高いところでくらしてるんだ」

わしはかんしんして、森の中を見まわした。

テントがリュックのポケットからでて、わしの頭の上にのぼってきた。

「ウロロは山道は歩かないっていったけど、木の上には道はないの?」

わしは、わしたちの下にある、ウロロの顔にむかっていった。

「木の上の道?あるよ。地面《じめん》の上の道とはちがうけどな。おれがいつもとおる、おれの道はあるぜ、おまえ」
ウロロはミズナラのみきをゆびさして、
「ここもいつものとおり道だぜ。あのまるい岩《いわ》が目じ

るしさ。空からおちてきた、まん月みたいな岩だから
わすれない」
と、青白く光る岩を見おろした。
「まん月岩《げついわ》のミズナラから、のっぽの三本ブナへ飛《と》び
うつり、まがり沢《さわ》のクルミの木へとんで、みどりぬま
のトチの木へ、というぐあいに、あちこちに、おれの
目じるしがあるというわけだ。な、それが、おれの、
木の上の道だぜ、おまえ」
ウロロは首をひねって、わしを見ようとするが、頭
の上にいるわしと、顔をあわすことができない。
「ねぇ、ウロロ、ぬしさまのところへ行くっていった
けど、ぬしさまってだれ？とちゅうの山道であったナ
メクジも、ぬしさまのところへ行くっていってた」
わしは、見えないウロロの顔にむかっていった。
「ぬしさまは、森一番の年寄《としよ》りで、森一番大きなかた
だぜ、おまえ」
「心も体も大きなかただって、ナメクジもいっていた」

「そうさ。こまったことやなやみがあったら、ぬしさまのところへ行って話せば、どうしたらいいかわかると、みんながいっている」

「なやみがあるんだ、ウロロは」

だまってきいていたテントが、きゅうに、ひとりごとみたいにいった。ウロロは、

「えっ、おれ、なやみ？おれ、べつに、おまえ」

とあわてて、

「それより、トガリィは、トガリ山のてっぺんにのぼるのか。テントものぼるのか」

といって、えだの上にこしをおろした。

「そうなんだ。ぼくたちトガリィ家のものは、わかいときに一度《いちど》は、トガリ山にのぼるよういいつたえられているのさ。ぼくのとうさんも、じいさんも、ひいじいさんも、みんなトガリ山にのぼって一人前になったんだって」

「ふーん、そうなのか、おまえ」

ウロロがゆっくりうなずいた。

ウロロがうなずくと、ウロロの頭の上のわしも、わしの頭の上のテントも、いっしょにうなずいた。

「トガリ山のてっぺんから、飛《と》び立つんだ、ぼくは。天へ飛び立つ、テントウムシ」

テントが、すっきりとした声でいった。高い木の上にのぼったら、すっかり目がさめたらしい。

「ふーん、天へ飛び立つのか、おまえ。たいしたもんだな。トガリ山のてっぺん、行ってみてえな、おれも」

ウロロは、トガリ山のてっぺんをさがすように、森の高いところをゆっくり見まわした。

「ほんと!行こうよ、行こうよ、ウロロ」

わしは、ウロロの頭のてっぺんから、おでこの下の、

大きな目をのぞきこんだ。

「行こうよ、行こうよ、ウロロ、ほんと！」

テントも、わしのおでこの下の、その下の、ウロロのおでこの下の、大きな目をのぞきこんだ。

「でもな、おれ、いま、行けないんだ、おれ、いま……」

「どうして？」

「わけは、いえないけど……」

「ウロロが、トガリ山のてっぺんから飛《と》び立ったら、ずっとずっと遠《とお》い、宇宙《うちゅう》のかなたまで飛んでいけるかもしれないよ」

　わしがいうと、

「宇宙のかなた？それって、なんだかすげえな！」

　とウロロは空を見あげ、それからゆっくり顔をさげて、

「でもな、おれ、いま、行けないんだ、おれ、いま……」

　と考えこんだ。

「なやみがあるんだ、ウロロ」

　テントがつぶやくと、ウロロは、

「えっ、なやみ？おれ、べつに、おまえ」

　と、またあわてている。

9

空飛《と》ぶウロロ

「そろそろ、ぬしさまのところへ行くか、おまえ」

と、ウロロがいった。

そのときだ。かすかに、あの音がきこえた。

カロン　カロリン
また、あいつの音が、くらい森のそこからひびいてきた。

「なんだ、あの音は」

ウロロが、声をひそめていった。

「あれは、あいつの音だよ」

わしも声をひそめて、ヤミの中を見おろすと、

「あいつは、ネコ。音は、すず」

と、テントがささやいた。

ウロロは、体をかがめ、じっとミズナラの根《ね》もとを見つめた。

ミズナラの根もとで、カロンとすずが鳴って、かすかにササの葉《は》がゆれるのが見えた。すがたは見えないが、あいつがわしたちのま下を歩いていくのがわかる。

「おれの前に、道はなし。

道なき道が、おれの道。

どっこい山ネコ、おれの道。

山ネコ、よいしょ、山ネコ、どっこい」

カロン　カロリン
あいつのセリフが、ゆれるササの葉の中からきこえてきた。

「なに、山ネコ？あいつって山ネコなのか？おれ、このあたりで、山ネコなんか見たことがないぜ、おまえ」

ウロロがヤミの中を見つめたままいった。

「あいつは、人間にかわれていたネコだって。おれは山ネコになるって、じぶんでかってにいってるだけさ」

「ふーん。だけど、どうして、なにしに、人間にかわれていたネコが、この森にやってきたんだ、おまえ」

ウロロが、わしを見あげるように、首をかしげた。

「おれの前に、道はなし。

おれのあとに、おれの道。

おれが歩いた、おれの道。

あー、どうしよう」

カロン
あいつの声が、ミズナラの根《ね》もとをとおりすぎていく。

「ネコは、木のぼりできるのか？ ネコは空飛《と》べるのか？ おまえ」

ウロロはちょっと顔をあげ、またしんぱいそうに下をのぞきこんだ。

「ぼくも、あいつがどんなやつか、くわしいことはしらないんだ」

わしがいうと、

「あいつは飛べない。あいつ、道にまよってる」

と、テントがささやいた。ウロロはちょっと考えて、

「そうだよな、空を飛べたら、
道にはまよわない。テント、

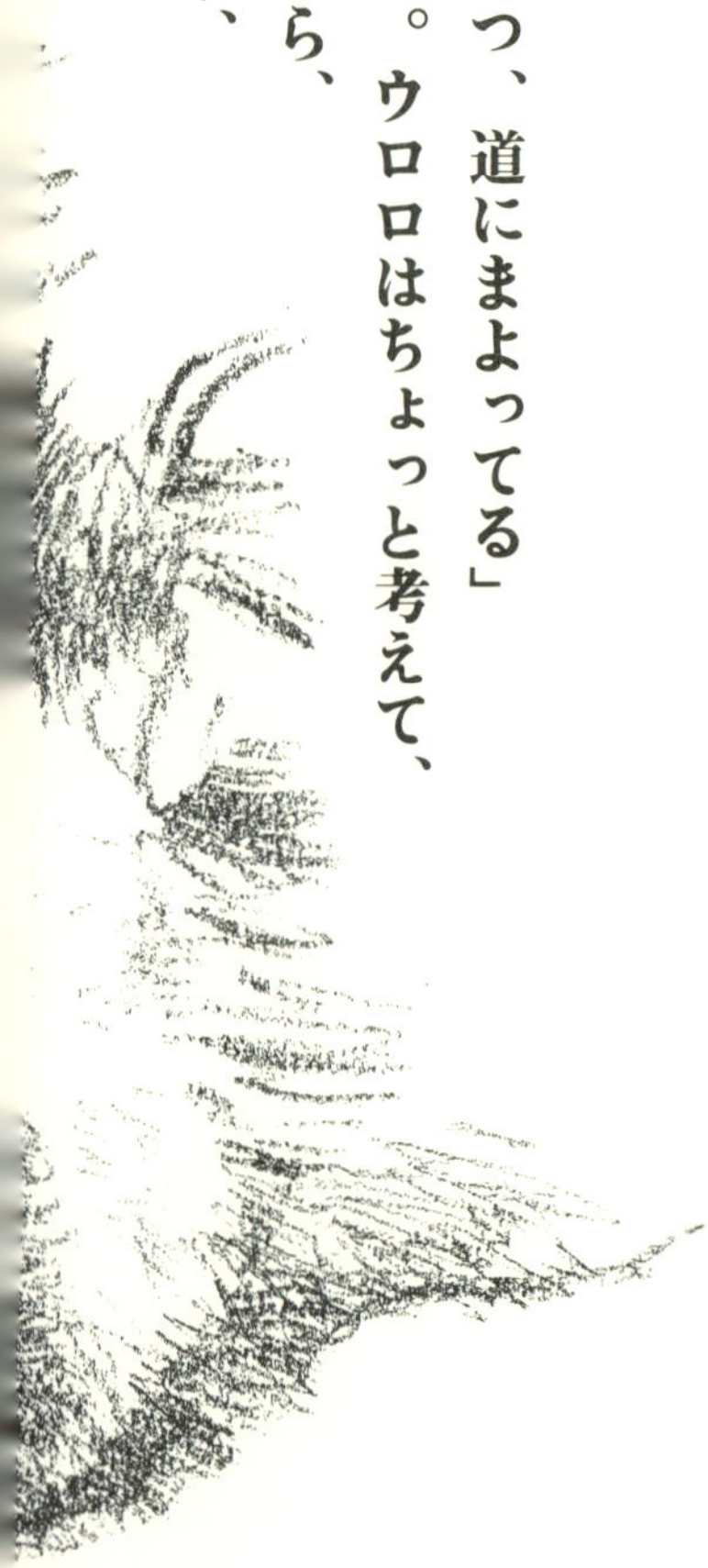

頭いいな、おまえ」
と、ほっとしたように
いった。
「おれの前に、道はなし。
どこをむいても、やぶばかり。
空を飛びたい、月夜の空を。
鳥になりたいよ……」
カロン　カロリン
あいつの声が、
だんだん遠《とお》ざかっていった。
「あいつも、道にまよっているのか。飛べないってことはふべんだな」
ウロロは、下をのぞきこんでいた体をゆっくりおこした。
わしは、なんだか、あいつが気のどくに思えてきた。
だが、どんな動物《どうぶつ》かわからないネコに声をかけるわけにもいかない。

「それじゃ、でかけるか、おまえ」

ウロロが、背《せ》すじをすっとのばしていった。

「しっかりつかまれよ、おまえ」

ウロロはえだの上を走って、ミズナラのみきにとびついた。カッ、カッ、カッとつめを鳴らして、すばやくよじのぼっていく。

わしは、ウロロのゆれる頭からふりおとされないように、しっかりと毛《け》にしがみついた。ミズナラの木のてっぺん近くまでのぼって、ウロロはえだの上にとまった。ミズナラの木は、そのあたりではひときわ背が高く、わしたちは森の上にでた。

目の前に黒ぐろとした森が息《いき》をひそめていた。頭の上には、ふかいこんいろの夜の空が広がっていた。高くのぼった月は青白くかがやき、やわらかい光をあたりにふりそそいでいた。

見おろすと、ミズナラのえだとえだのあいだに、水にうつった月のように、小さくなったまん月岩《いわ》が、ぼんやりと光って見えた。

「トガリ山が見えるぞ、おまえ」

ウロロがいった。

「どこ？」

わしとテントがどうじにいうと、ウロロは顔の正面《しょうめん》をトガリ山の方へむけてくれた。

「ほら、な、あそこ」

「あっ、ほんとだ！」

「ほんとだ、あっ！」

たしかに、黒い森のむこうに、夜空にとけこむようにぼんやりとトガリ山が見えた。

「あのトガリ山のま下の森に、ぬしさまがいるんだ。だからおれたち、トガリ山にむかって飛《と》ぶんだぜ、な、おまえ」

　ウロロはすっと背中《せなか》をのばし、もう一度《いちど》トガリ山の方向《ほうこう》をたしかめた。それからゆっくりと頭をさげると、体をうしろにひいた。えだがゆれてしなったかと思うと、ウロロの体は空中に飛びだした。

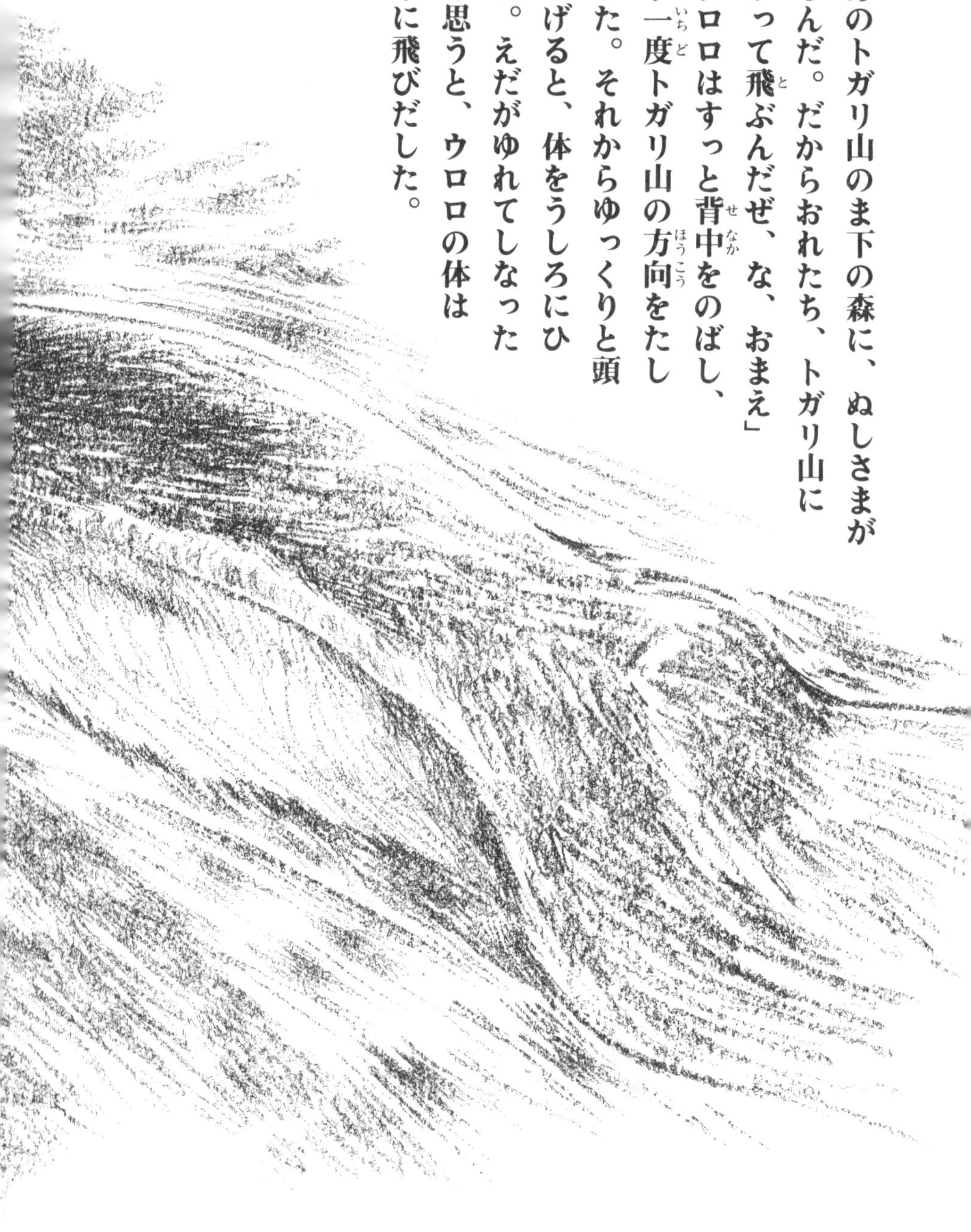

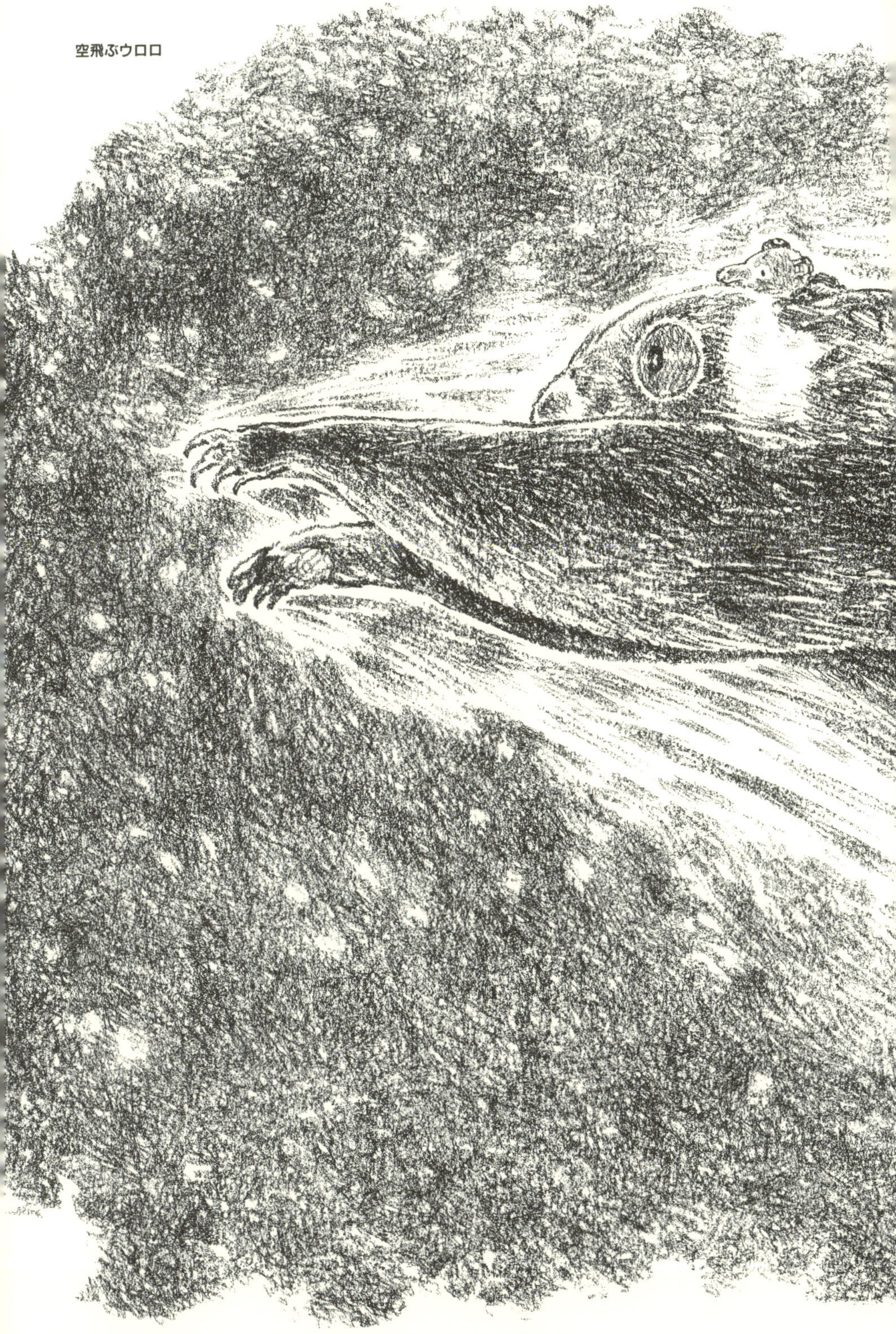

わしは、むねの前でたばにしたウロロの毛《け》に、体ごとしがみついた。いつのまにかわしのシッポも、ウロロの毛をつかんでいた。
　わしたちは夜空にうかんだ。風がウロロの毛をうしろになびかせた。月がいっそう大きくなって、わしたちの上にせまってきた。
　こんなに高い空を飛《と》ぶなんてはじめてのことだ。わしは目をパチパチさせながら、すごい、すごいとつぶやいていた。
　たくさんの星《ほし》たちが、夜空に飛びだしたわしたちをとりかこんで、ゆっくりとまわっていった。

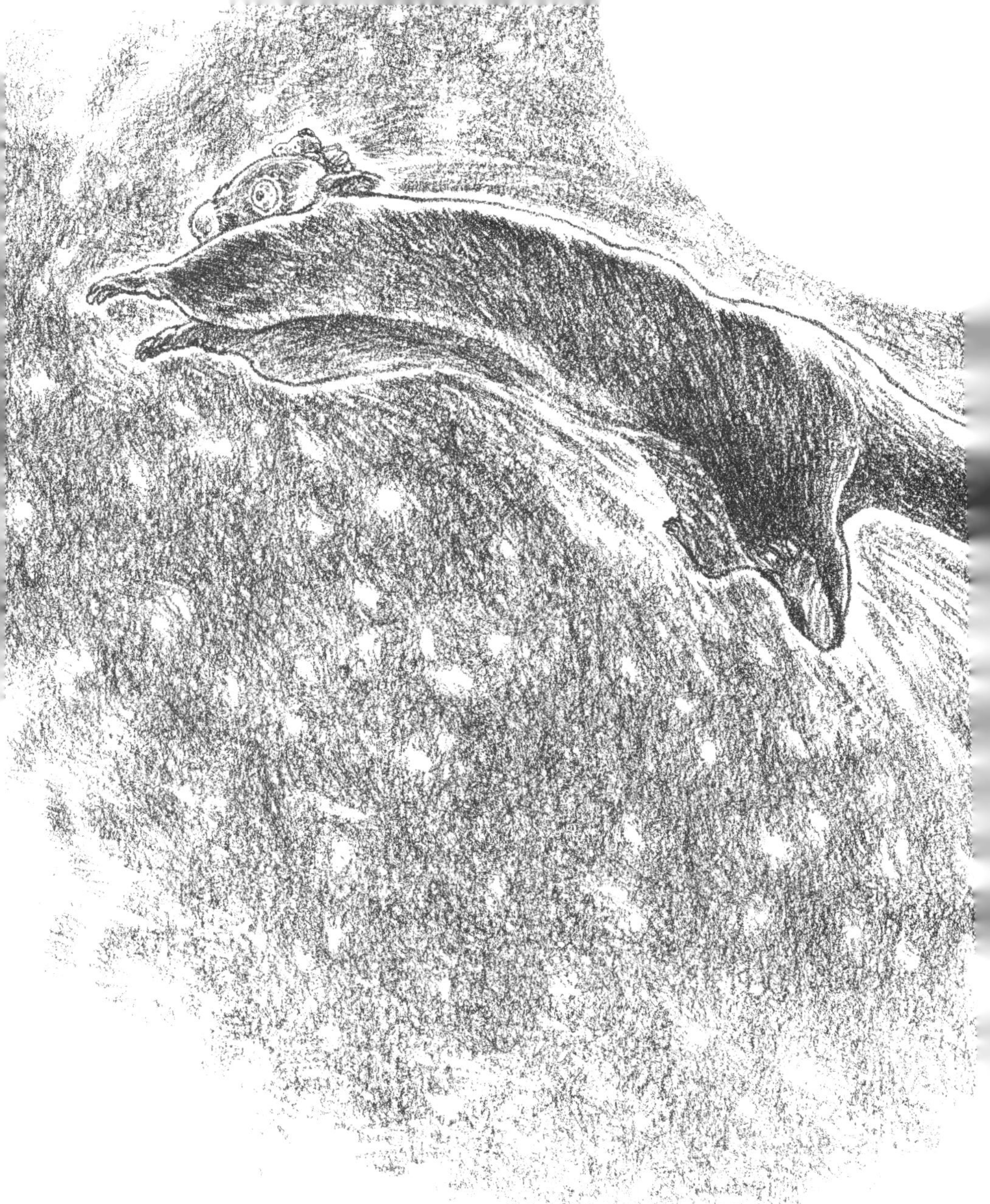

「わあ、おじいちゃん、ほんとに空を飛《と》んだんだ。いいなあ！」

キッキが、むねの前で両手《りょうて》をにぎりしめて、うっとりとしていった。

「空の上って、いい気分だった？」

セッセが体をのりだすと、

「ね、ね、こわくなかった？」

クックも、こしをうかせて、トガリィじいさんの顔をのぞきこんだ。

「月と星《ほし》にかこまれて、夜の空にうかぶなんて、すてきい」

キッキが両手をにぎりしめたまま、てんじょうを見あげた。

「ムササビとともだちなんて、いいなあ」

セッセがいうと、

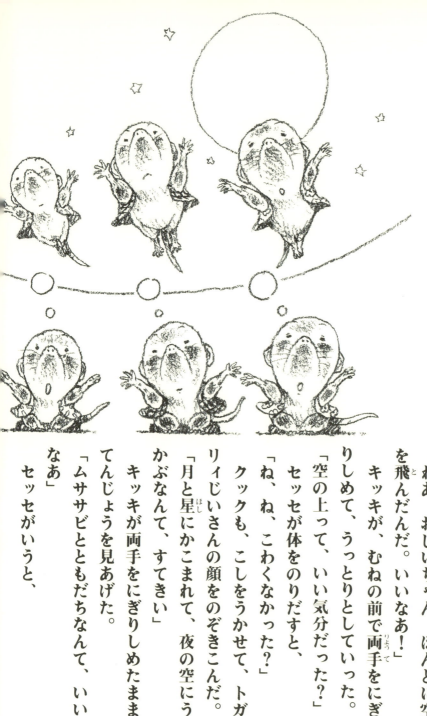

「ぼくも空を飛びたいな」

　クックが両手を広げた。

「おれも飛びたい」

「あたしも」

　セッセとキッキも両手を広げた。

「だけど、ムササビは、どうして空を飛べるようになったんだろう」

　セッセが、広げた両手をおろしていった。

「そうね、鳥じゃないのに」

　キッキも両手をおろして、セッセの顔を見た。

「鳥じゃなくても、コウモリだって空を飛ぶよ」

　クックが両手を広げたままいった。

「コウモリは鳥みたいにつばさがあ

るけど、ムササビは、つばさがないのに空を飛《と》ぶんだぜ」

セッセがうでぐみをして考えた。

「ぼく、つばさがないけど、自分で空を飛べるかなあ」

両手《りょうて》を広げた体を右にかたむけて、ククがいった。

「飛べるわけないだろ」

セッセがいうと、

「だって、ぼくたち、コウモリのしんせきでしょ」

ククが、こんどは体を左にかたむけた。

「きっと、ムササビは、むかしは空を飛べなかったけど、空を飛びたいと思いつづけているうちに、だんだ

ん飛べるようになったんじゃない」

キッキがいった。

「つまり、ギンネズミが、川でくらすことをえらんで、およぎがうまくなったみたいにってこと？」

セッセがしんけんな顔で、キッキを見つめた。

「やっぱり、ぼくたちも飛べるようになるってこと」

クックが両手を広げて、いすの上から飛びおりた。

「ずっと思いつづけなきゃならないんだよ、きっと。クックの子どももまごも、そのまごも、そのまたまごも、ずっと、ずっとだよ」

キッキがいうと、

「そうだよ、何十年も何百年もだぜ」

セッセが、うでぐみの上からクックをにらみつけた。

「ふむ、わしたちトガリネズミが空を飛《と》べるようになるとしたら、もっともっと長い時間がひつようだろうな。何十万年も何百万年も」

　トガリィじいさんが、わらいながらクックの顔をのぞきこんだ。

「よし、何十万年何百万年で、ぼくは空を飛べるようになる」

　クックがみんなのまわりを、両《りょう》手《て》を広げて走りまわった。

「むりだって、いってるだろ」

　セッセがクックを目でおいかけて、口をとがらせた。

「さて、こんやの話はこれでおしまい。このつづきはまたあした」

トガリィじいさんが立ちあがった。

「空を飛んでかえろう」

キッキがいすの上に立って、両手を広げていった。

「おや、もう飛べるようになったのかい」

トガリィじいさんがいうと、

「やあまあねえ」

キッキがいって、そとにむかって飛びだした。

「まあねえやあ」

クックがつづくと、セッセも両手を広げて、夜の森へ飛んでいった。

いわむら かずお

1939年東京に生まれる。東京藝術大学工芸科卒業。

1975年東京を離れ、家族とともに栃木県益子町に移り住む。

「14ひきのシリーズ」(童心社)や「こりすのシリーズ」(至光社)など多くの作品が、フランス、ドイツ、中国、スイスなど多くの国でもロングセラーとなり、世界のこどもたちに親しまれている。

『14ひきのあさごはん』(童心社)で絵本にっぽん賞、『14ひきのやまいも』で小学館絵画賞、『ひとりぼっちのさいしゅうれっしゃ』(偕成社)でサンケイ児童出版文化賞、『かんがえるカエルくん』(福音館書店)で講談社出版文化賞絵本賞、エリックカールとの合作『どこへ行くの? To See My Friend!』(童心社)でピアレンツ・チョイス賞(アメリカ)受賞。

1991年日本各地の森や山を歩き取材を重ねた「トガリ山のぼうけん」シリーズがスタート、1998年全8巻完結。

1998年栃木県那珂川町に「いわむらかずお絵本の丘美術館」を設立。絵本・自然・こどもをテーマに活動を続けている。

「ゆうひの丘のなかま」シリーズ(理論社)「ふうとはな」シリーズ(童心社)「カルちゃんエルくん」シリーズ(ひさかたチャイルド)などは、美術館のある「えほんの丘」に暮らす生きものたちを主人公に描いた作品である。

2014年、フランス藝術文化勲章シュヴァリエを受章。

*本書は1991年~1998年に刊行された「トガリ山のぼうけん」シリーズ(全8巻)の新装版です。

トガリ山のぼうけん④
空飛ぶウロロ 新装版

2019年10月 初版
2019年10月 第1刷発行
文・絵 いわむらかずお
ブックデザイン 上條喬久
発行者 内田克幸
編集 岸井美恵子
発行所 株式会社理論社
東京都千代田区神田駿河台二-五
電話 営業 03-6264-8890
編集 03-6264-8891
URL https://www.rironsha.com
印刷・製本 中央精版印刷株式会社

ISBN978-4-652-20344-6
NDC913 A5判 22cm 151p

トガリ山のぼうけん（全8巻）

いわむらかずお

第①巻『風の草原』

第②巻『ゆうだちの森』

第③巻『月夜のキノコ』

第④巻『空飛ぶウロロ』

第⑤巻『ウロロのひみつ』

第⑥巻『あいつのすず』

第⑦巻『雲の上の村』

第⑧巻『てっぺんの湖』